ブックレット・ボーダーズ

No. 7

知っておきたいパラオ

――ボーダーランズの記憶を求めて

古川浩司・ルルケド薫　編著

特定非営利活動法人 国境地域研究センター

ブックレット発刊によせて

二〇一四年四月、総合的なボーダースタディーズ（境界・国境研究）の振興を目的とした民間の研究所として特定非営利活動法人・国境地域研究センター（JCBS：Japan Center for Borderlands Studies）が誕生しました。世界では、北米を本拠とする境界地域研究学会（Association for Borderlands Studies）、移行期の境界地域ネットワーク（Border Regions in Transition）などの活動が知られてきましたが、我が国には北海道大学グローバルCOEプログラム「境界研究の拠点形成」が始動するまでボーダースタディーズのコミュニティは存在しませんでした。これは海に囲まれた島国・日本に暮らす私たちが境界・国境の問題に長年、無自覚であり、いわば内向きの歴史を積み重ねてきたこととも無縁ではありません。

近年、国際情勢の変動のもと、私たちの意識も大きく変わりつつあります。二〇一一年一一月には、境界・国境地域の実務者と研究機関を結ぶ境界地域研究ネットワークJAPAN（JIBSN：Japan International Border Studies Network）が設立、また二〇一三年四月、北海道大学スラブ研究センター（当時）に境界研究ユニット（UBRJ：Eurasia Border Research Unit, Japan）が設置されるなど、大学・自治体間の連携が強まっています。我が国の将来を見据えたときに、境界・国境問題に対する世界的な研究・実務の経験を学ぶこと、これら知見をもとに私たち自身の境界問題を考えること、さらには境界地域に暮らす人々の目線で地域の発展を模索すること、これらすべてが喫緊の課題になっていると思われます。境界をめぐる様々な問題に関する視座と知識の涵養のため、国境地域研究センターはブックレット・ボーダーズをここに刊行することにしました。本ブックレットがひとりでも多くのみなさんに境界地域のあるがままの姿やその未来への可能性をお届けできる一助になれば私たちの喜びとなります。

国境地域研究センター・ブックレット編集委員会

目次

はしがき

ＮＰＯ法人国境地域研究センターのブックレット・ボーダーズも七号を刊行することになりました。今回は、パラオ諸島にスポットを当てます。パラオの地理と歴史はボーダースタディーズ（境界研究）にとても大きな示唆を与えています。南の離島であること（とはいっても北半球です。念のため）、植民地として翻弄されたこと、にもかかわらず、南洋の島々に暮らす人々が外国の影響を強く受けながら、独自の生活空間を守ってきたこと。そして、日本との深いつながり。

私たちはパラオを学ぼうと現地に訪れ、そして水先案内人のルルケド薫さんに会いました。ブックレットはその記録であるとともに、ややステレオタイプ風の言い方ですが、「知られざるパラオ」を伝えようとしたものです。薫さんの存在と協力なくして本書は生まれなかったでしょう。ちなみに薫さんは、観光、政治経済、自然科学、社会等、多岐にわたる分野、パラオにかかわることなら何でもＯＫのパラオ通。パラオ人と結婚して、在住一四年、パラオで子育て中の、国際結婚、ハーフ子育て中のママ。

さて東京・竹芝から小笠原・父島までは一〇〇〇キロですが、パラオはそこからさらに倍の距離。とても遠いのですが、かつてはつながっていた空間でした。今は切り離されていますが、それでも歴史や文化はつながっています。読者のみなさまにとって、本書が現地を訪ねる一助となれば幸いです。現在、新型コロナの影響で海外渡航はままならない状況ですが、そう遠くない未来にまた自由に往来ができる日を期待しつつ。

（岩下明裕）

小笠原・父島の案内標識

パラオの歴史

1885 年	スペインによる支配（スペイン領東インド）
1899 年	ドイツによる支配（ドイツ領ニューギニア）
1914 年	日本による占領（委任統治）
1945 年	米国による占領（信託統治）
1981 年	自治政府発足（パラオ共和国）
1994 年	米国より独立（非武装・非核　但し、国防は米国に依存）

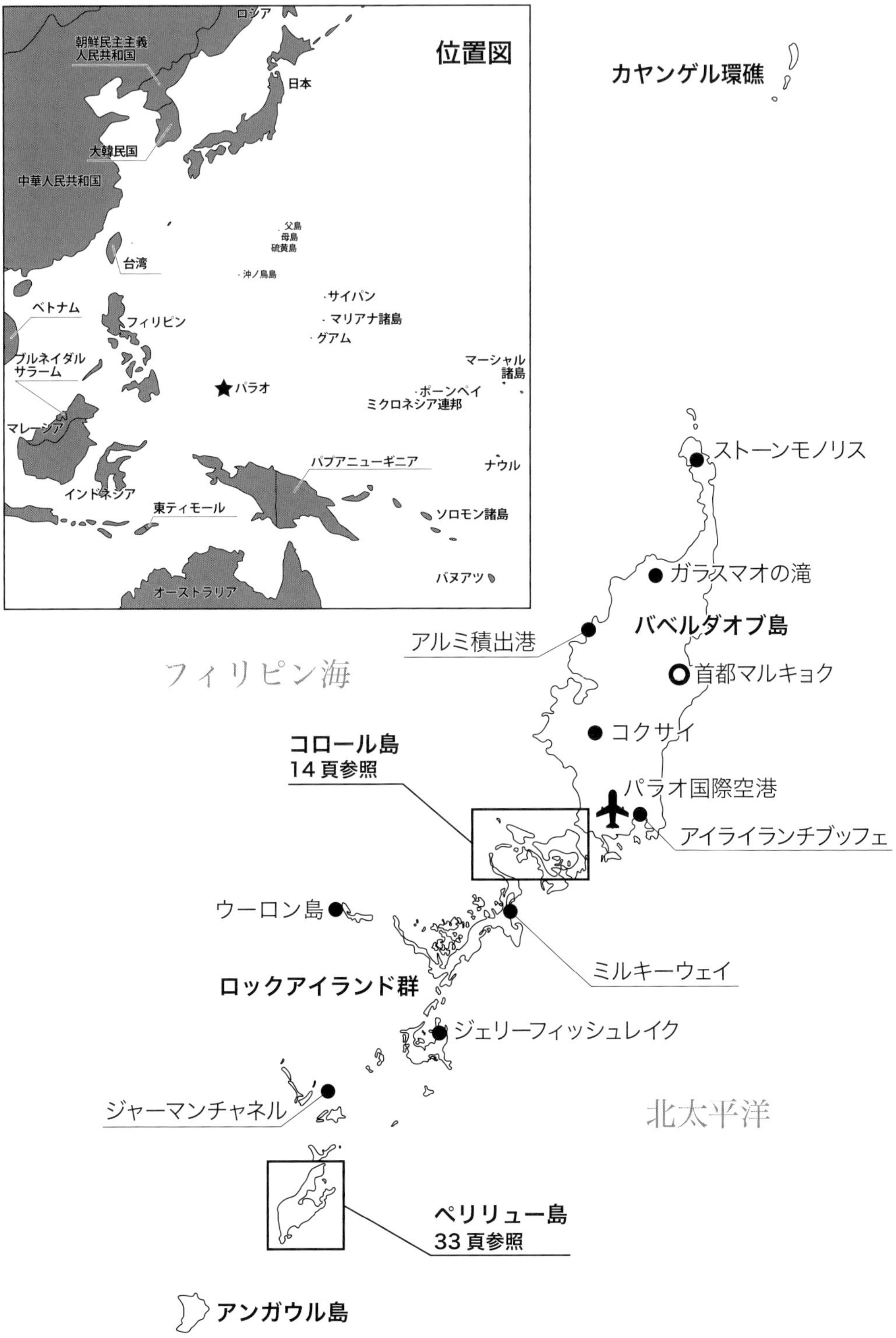
位置図
ロシア
朝鮮民主主義
人民共和国
日本
大韓民国
中華人民共和国
父島
母島
硫黄島
台湾
沖ノ鳥島
サイパン
マリアナ諸島
グアム
ベトナム
フィリピン
ブルネイダル
サラーム
パラオ
マーシャル
諸島
ポーンペイ
ミクロネシア連邦
マレーシア
パプアニューギニア
ナウル
インドネシア
東ティモール
ソロモン諸島
バヌアツ
オーストラリア
カヤンゲル環礁
ストーンモノリス
ガラスマオの滝
バベルダオブ島
アルミ積出港
フィリピン海
首都マルキョク
コクサイ
コロール島
14 頁参照
パラオ国際空港
アイライランチブッフェ
ウーロン島
ミルキーウェイ
ロックアイランド群
ジェリーフィッシュレイク
ジャーマンチャネル
北太平洋
ペリリュー島
33 頁参照
アンガウル島

本書の刊行にあたって

「パラオ（現地語ではベラウ）」と聞いて本書を手に取った皆さんは何を思い浮かべるでしょうか。

リゾート滞在やダイビング体験を思い起こして本書を手に取った方もいるでしょう。戦争の記憶を回顧して本書を手に取った方もいるかもしれません。あるいは、パラオがどこにあるかもよくわからないけれども、とりえあえず手に取った（取らされた？）方もいるように思います。

かく言う私自身もパラオ訪問はまだ二回しかありません。そこで、まず本書の刊行に至った経緯を説明します。

パラオ共和国は、日本の真南、フィリピンの東、ミクロネシアの最西端に位置している大小約二〇〇の島で構成されています。ミクロネシア地域ではキリバス、ミクロネシア連邦、グアムに次ぐ約四八八㎢の面積（屋久島とほぼ同じ）を持ち、日本との時差はありません。最北端・最東端はカヤンゲル州カヤンゲル島（北緯八度一〇分、東経一三四度四二分）、最西端はハトホベイ州トビ島（東経一三一度七分二六秒）、そして最南端はハトホベイ州トランジット環礁（北緯二度四七分）で、ほぼ赤道直下にあります。人口は一万七九〇七人（世界銀行、二〇一八年）、首都はマルキョク（二〇〇六年一〇月、コロールより遷都）となっています。

また、パラオ共和国は一六の州、北部諸島にあるカヤンゲル州、バベルダオブ島にあるアイメリーク州、アイライ州、マルキョク州、ガラルド州、アルコロン州、ガラスマオ州、アルモノグイ州、ガスパン州、エサール州及びオギワル州、バベルダオブ島南西部にあるコロール州、ペリリュー州及びアンガウル州、南西諸島にあるソンソロール州及びハトホベイ州で構成されています。

私がパラオに初めて訪問することになった背景には、アジア太平洋地域のボーダースタディーズ（境界研究・国境学）※の開拓の一助となることがありました。岩下明裕・北海道大学教授を中心に、二〇〇九年七月に北海道大学グローバルCOEプログラム「境界研究の拠点形成― スラブ・ユーラシアと世界」が発足したことにより、日本を含むユーラシアにおけるボーダースタディーズは劇的に発展しましたが、それをいかにアジア太平洋地域に広げていくかが課題となりました。その頃、九州大学アジア太平洋未来研究センター（二〇一四～一八年）の設立の話があり、「北海道大学はユーラシア、九州大学はアジア太平洋のボーダースタディーズの中心にすれば、日本のボーダースタディーズはさらに発展するのではないか」という問題提起があり、研究対象地域の一つとして挙げられたのがパラオだったのです。

なぜパラオが候補になったのでしょうか。実は日本におけるボーダースタディーズの進展のなかで、小笠原諸島とのパラオの結びつきを問う声がありました。本ブックレットにコラムを寄稿された山上博信さん（ＮＰＯ法人国境地域研究センター理事）などもそのひとりです。実は小笠原諸島とパラオは二〇〇〇キロも離れており、もちろん今、船も含めて直接に往来などできる手立てもありません。けれども、戦前の日本では小笠原とパラオは結びついていました。例えば、かつて日本の委任統治領であった南洋群島へ出かけたジョサイア・ゴンザレスが現地の踊りを父島に持ち帰ったことが、東京都指定無形民俗文化財となっている「南洋踊り」の始まりとされています。

夜明け前に　あなたの夢見て　起きるとみたら
　　　　　　　　　　　　たいへん疲れた
もし出来るなら　ああ　小鳥になって
　　　　　　あなたのもとへ　時々飛んでゆく
私の心は　あなたのために　たいへんやせた
　　　　　　　　　　死ぬかもしれません
　　　　　　　　　　　　（夜明け前　より）

また、アンガウル州憲法第一二条第一項には公用語としてパラオ共和国の公用語であるパラオ語と英語とともに日本語が定められています。日本国憲法には日本語が公用語であるという記述がないため、世界で唯一憲法に日本語が公用語であると記述されている州を有する国でもあります。

詳細は本書の各章やコラムなどに譲りますが、日本のボーダースタディーズ、中でも特にボーダーランズ（境界地域）を研究する私にとっても、パラオに関する研究は興味深いものとなっていきました。これが私のパラオ訪問、そして本書の原点となります。

二〇一三年三月、私は初めてパラオを訪問しました。パラオに顔なじみの多い山上さんの案内によるものでしたが、当時パラオ共和国弁護士としてコロール島に事務所を開設されていた大川洋子さんや大統領法律顧問であった米国のデヴィッド・シッパーさん（故人）の非常に多大なる協力を得て、アラカベサン島（コロール州）の大統領官邸にてトミー・レメンゲサウ大統領を表敬訪問する機会にも恵まれました。

このときはまたパラオ最大のバベルダオブ島、カープレストランのあるマラカル島（コロール州）に加えて、最北端のカヤンゲル島に行くことにもなりました。カヤンゲル島まで州による定期

トミー・レメンゲサウ大統領を表敬訪問した際に日本の銘酒「小鼓　路上有花 黒牡丹（純米大吟醸）」を献呈したところ、「cold（冷）or warm（ぬる燗）（のどちらか）？」と問われ、答えに窮する筆者（2013 年 3 月 22 日）

船（スピードボート）で片道二時間以上、途中の波による揺れに転覆の恐怖を感じながらも、沖縄の離島でさえ経験したことのない美しい青さに魅了されたことは今でも鮮明に覚えています。カヤンゲル島では「俺の島だ」と言われる方から、採りたてのココナッツ（ジュース）をご馳走になりました。なんとその方が本書の執筆者であり、後日、私たちにパラオの魅力を伝えてくれたルルケド薫さんのお義父さまであったという偶然もありました。

パラオで調査を行いたい……そのような私たちの想いが通じたのでしょうか。二〇一八年度にボーダースタディーズに関心を寄せる琉球大学島嶼地域科学研究所の公募型共同研究に幸いにも私たちの調査計画（「アジア太平洋島嶼国・地域のボーダーに関する比較研究―沖縄の離島と南洋諸島を中心に」）が採用されました。これにより、再びパラオを訪問する機会を得ました。その結果、太平洋戦争時の激戦地であったペリリュー島も訪問して、私たちのパラオに対する認識が深まりました。ちなみに、ペリリュー島の戦いについてはコミック（『ペリリュー―楽園のゲルニカ』〈白水社〉）をぜひご一読ください。

ただ、最初のときもそうですが、またしてもパラオに関する旅行本やガイドブックに不満を感じました。と言いますのも、パラオに関する旅行本はリゾート本と一般の方には近寄りがたい専門書にはっきりと二分されているからです。そのような現状において、「ツーリズムの副読本となるような、現地に関心のある一般読者向けの読者が手に取りやすい本を作ったらどうか」とＮＰＯ法人国境地域研究センターの関係者から打診がありました。単なる旅行ガイドでなく、パラオの歴史や文化、何よりもそこに暮らす人々のありさまを読者に伝えるような一冊。国境地域研究センターのブックレットシリーズはまさにこのような狙いで刊行されており、パラオもそのなかに加えるべきものであるという自信はありましたが、何よりも現地に暮らし、現地のことを誰よりも知るルルケド薫さんが賛同されたことで自信が確信に変わりました。

本書は三つの主たる章と六つのコラムから構成されます。最初に、特にまだ行ったことのない方のためにパラオの観光スポットを取り上げます。Ｂ級グルメに関するコラムと併せて読んだだけで行った気分になるかもしれませんが、（カラーの）視覚と味覚はぜひ現地で体感してください。また、沖ノ鳥島に関するコラムを通じてボートでの日本からパラオへの旅もお楽しみください。次に、歴史に関する章は他と比べると、資料もあり少し長いですが、本章やパラオ語化している日本語に関するコラムを読んでおけば、ベラウ国立博物館での展示内容に対する理解もさらに深まることでしょう。また、記憶化に関するコラムはやや専門的ですが、新たな歴史の見方を考える上で非常に役立つことでしょう。そして最後にパラオの家族制度は観光滞在中には関心を持たないテーマかもしれませんが、車窓から見るパラオの人々や土地にも物語があることを、本章及び日本統治時代の法制度の名残りや領海警備に関するコラムを通じて理解することもできるでしょう。

前置きがいささか長くなりました。そろそろ本書を片手にパラオへの旅へ出発しましょう！

（古川浩司）

※ボーダースタディーズ（境界研究・国境学）とは、ボーダー、つまり境界に関わる事象を総合的に分析して把握しようとする学術的な新しい人文・社会系の研究分野です。地理学や地政学の影響を受けながら発展しましたが、最近は人々の暮らしや現地の目線に立とうとする研究が多くなっています。

パラオ州区分地図

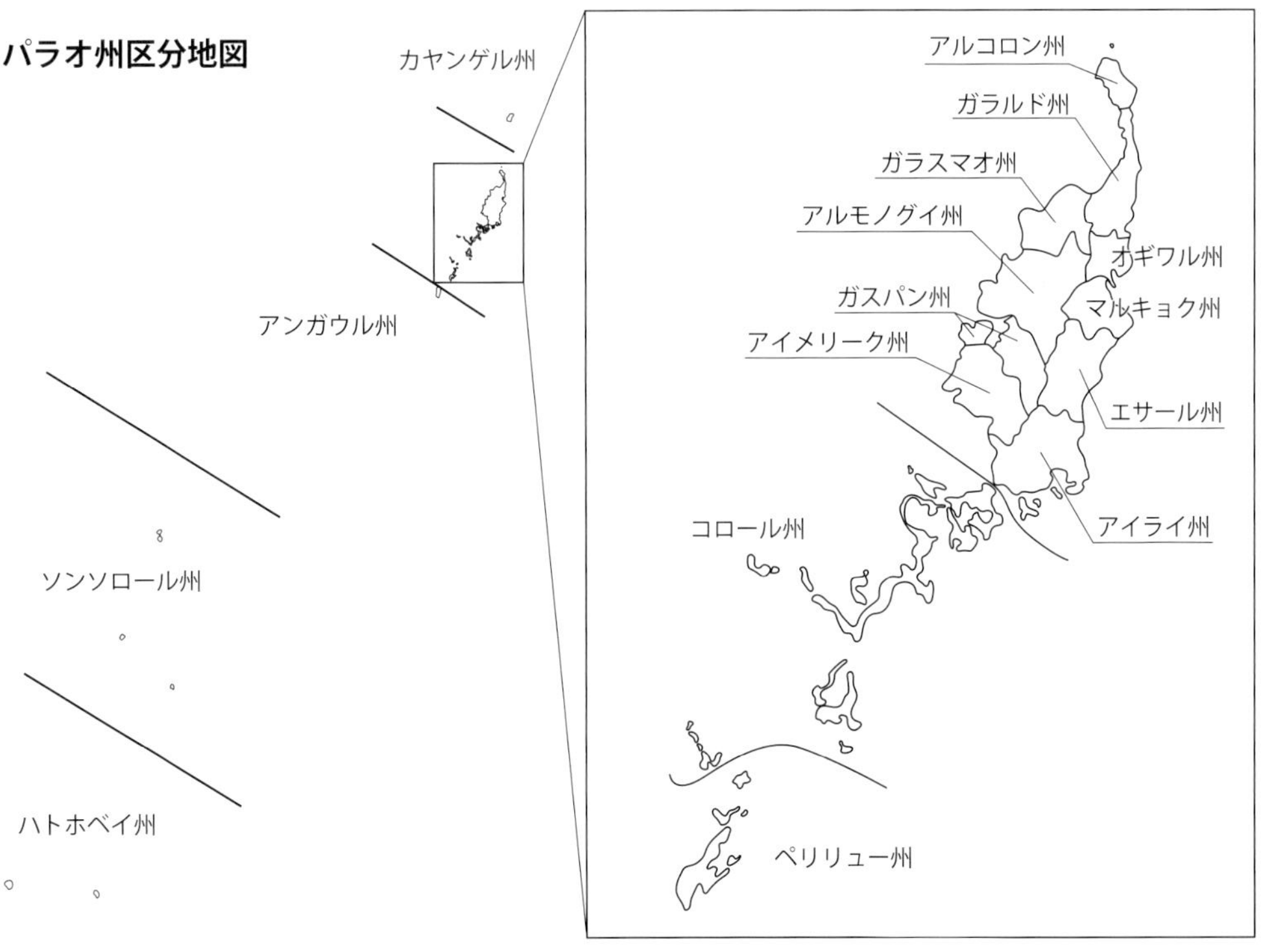

Ⅰ　パラオの観光スポット

ユネスコ世界遺産

パラオといえば海だろう。水着を持たずにパラオを観光するのは、魅力半減である。パラオの南ラグーンとロックアイランド群は、そのユニークな景観と生物の多様性を認められ、ユネスコの世界遺産として、登録されている。

パラオのヨーロッパ人との歴史的接触は、イギリス東インド会社の交易船アンテロープ号が、ウーロン島付近で座礁したこと。ヘンリー・ウィルソン船長たちは、このビーチに上陸した。

ロックアイランド

ユニークな生態系といえばここ、ジェリーフィッシュレイク。ロックアイランドのなかには、マリンレイクと呼ばれる、珊瑚石灰岩でできた岩に囲まれ、外海と隔絶された海水湖が多くある。小さな穴を通じて海水の出入りはあるのだが、石灰岩に濾過されて、ほとんどの生物は透過できないため、マリンレイクのなかは、独特の生態系となった。ジェリーフィッシュレイクもその一例で、外海では毒棘を持つタコクラゲは、ここでは外敵がいないため、毒を失い、大繁殖している。シュノーケリングで、クラゲと安全に戯れることができるのだ。

ウーロン島と島の看板

ミルキーウェイは、その美しいターコイズブルーと、美白成分もあるという海底の白泥で有名だ。珊瑚の死骸が砂となり、年月をかけて沈殿した白泥はきめ細やかで、化粧品のパックの原料としても注目されている。

ジェリーフィッシュレイク

ミルキーウェイ
パラオ政府観光局提供

体に塗って遊ぶ　RITC 提供

統治と大戦の爪痕

陸を観光するなら、日本統治時代と戦争の跡を辿ってみるのもいい。ガラスマオの滝までは、戦前の産業であったアルミニウム鉱山のトロッコ列車の廃線を通って、一時間のハイキング。このあたりは、戦中の疎開先でもあり、水が豊富だったことから、劣悪な中でも比較的マシだったと聞く。

島の東西を結ぶ横断道路ができたことで、ちょうど西側の交差点にある場所が、コクサイだ。コクサイとは、統治時代に国際無線基地があった場所で、倒れた鉄塔や銃弾痕の残る建物を見学できる。近くに、地元の食べ物、野菜などを売る小さなマーケットもあり、ローカルフードを覗いたり、涼を求めるのにちょうどいい。

ペリリュー島は、アンガウル島とともに玉砕の島として知られている。今はのどかな島だが、洞窟には今も遺骨が残されている。日米両軍の戦車や砲台、建物などが弾痕も生々しく、ジャングルの中にひっそりと佇んでいる（コラム「パラオの戦跡」を参照）。

ガラスマオの滝
パラオ政府観光局提供

トロッコ廃線

港にある積み出し場跡

鉄塔

建物

ローカルマーケット

戦車　RITC 提供

神話と遺跡

謎の多い遺跡を訪ねるのも楽しいかもしれない。顔の彫られている大きな石が並んでいるストーンモノリス。サイズは小さいのだが、石の顔という点では、イースター島のモアイと関連があるかもしれない。

首都のマルキョクは、古代から北のパラオを統括する中心地であった。南の中心はコロールで、日本統治時代の建物なども見られるが、北のマルキョクは、古代の村落跡や、謎のストーンフェイスも見られる。現首都としての真新しい建物とのコントラスト、美しい海辺沿いの村も堪能してほしい。

ストーンモノリス

ストーンフェイス

首都　パラオ政府観光局提供

辺境の辺境

短い滞在では、なかなか訪れるチャンスも少ないのだが、北の端と南の端も紹介しておこう。北のカヤンゲル環礁は、最も美しいパラオの一つにランクインする、パラオ人お墨付きの美しさを誇る。バナナとパンダナス細工が特産。州政府の船で、月二回の往復便が出る。最近ではツアーもある。

南の端は、南西諸島ハトホベイ州とソンソロール州。政治的にはパラオではあるが、パラオとは異なる言語、文化は、ミクロネシア、ヤップ島の離島との共通点があるというのは興味深い。

カヤンゲル環礁　パラオ政府観光局提供

パンダナス細工
パラオ政府観光局提供

南西諸島　HRRMP 提供

パラオとマスツーリズム

パラオには伝統的な〝ＢＵＬ〟という規範がある。島の資源を守るため、一定期間ある区域を、立ち入り禁止、禁漁にする首長命令である。ここ最近言われるようになったように感じる環境保護の概念が、パラオでは遥か昔から存在することに、私は感銘を受けた。島社会は、限られた資源を共有しているコミュニティである。パラオだけでなく、他の島でも似たような掟がある。よく知られているのは、ハワイの〝Ｋａｐｕ〟だろう。限りある資源を、持続可能な形で共有していくという知恵は、島社会の方が長けているかもしれない。人々が去った後、島の資源が回復するのを経験的に知っていた。それがＢＵＬの起源だろう。島嶼国は生産性がない、という非難もよく聞くが、自然の生産のサイクルを熟知しているがゆえに、その必要性を感じていないだけだ。そして、持続可能な未来を求める今、世界は島嶼国から学ぶべきではないだろうか。

旅行業界はマスツーリズムで成り立っている。エコツーリズムも提唱されて久しいが、収益性が低いためか、相変わらず下火のままだ。隣のグアムが、安近短のマスツーリズムであるのに対し、パラオは、以前からダイビングツアーのメッカであり、ある意味では、エコツアーを実践してきたデスティネーション（目的地）でもある。大きな利益を生むマスツーリズムに魅力を感じている人もいるが、実際のところ地元にはそれほど大きな利益はなく、むしろ、環境破壊やゴミや下水の問題を懸念する声の方が大きい。ここ最近の中国特需で、実感したパラオ人も多いと思われる。

実際、中国特需はパラオに利益をもたらしたのだろうか？　消費や税収は増えたであろう。ただ、お行儀のいい日本人を中心とした小規模ダイビングツアーに慣れていたため、中国のマスツーリズムを受ける容量がなかった。結果として、大統領が、香港からのチャーター便を減便するＢＵＬを発令することとなった。中国人は、アメリカのビザが必要となるため、グアムへの旅行は日本人ほど気軽ではない。その分ビザの必要のないパラオは、今後も中国マーケットの需要があるだろう。そう考えると、今後、投資やツーリズムにおいて、ＢＵＬを発令する首長のごとく、パラオはイニシアティブを取らなければならないだろう。マスツーリズムは手っ取り早く利益が上がるが、長期的にみると、その利益も投資している外国企業を通じて外国へ還流してしまい、地元に残るのはほんの一部ということも問題になっている。観光客は、出発前に、食事を含むすべての旅行代金を支払っていることもあると考えれば、地元へ残るのがどれだけ少ないかわかるだろう。

観光客が多ければいいというものでもないだろう。会員制スポーツクラブを例にして考えてみる。会員制なので、会員が増えれば増えるほど、利益が上がるはずである。しかし、施設のキャパシティーを考慮しないと、マシンを使うのにも長蛇の列、更衣室のロッカーも足りない、会員一人ひとりの満足度は下がり、離れていくことになる。実際、中国人客が急増した時期、ホテルが取れず、日本を含む他国からのツアーが減った。その意味では、香港チャーターを減便した大統領ＢＵＬは評価できる。中国を含むアジア圏をマーケットに、パラオ旅行を売るとすれば、今後もマスツーリズムのパッケージは避けられない。マスツーリズムが質より量である以上、価格破壊にも注意しなければならない。質を維持するために、量をコントロールするイニシアティブを、小さい島だからこそ取ることが大切である。同時に、少ない観光客に、付加価値の高い、ユニークな地元発のコンテンツを提供して、満足度をあげる努力も必要だろう。そうした一歩になると思われる例をいくつかご紹介したい。

ナイトマーケット

月に二回金曜日の夕方、コロール中心街の広場で開かれている。アルコールの販売はなく、夜の九時には終了する。お土産物や食べ物、地元の特産品などの出店だけでなく、バンドやダンスの舞台もある。学祭やコンテストなどがないパラオでは、アマチュアバンドや、コーラスやダンスのグループにとって、舞台で披露できる貴重なチャンスでもある。

ナイトマーケット舞台 パラオ政府観光局提供

ナイトマーケット出店

広場の東屋 伝統的な作り

アイライ・ランチブッフェ

こちらも月二回ペースで開かれているローカルランチブッフェ。マスツーリズムの市場を考慮したとき、これまではパラオ独特の料理を提供するレストランがなかった。伝統的な宴会料理を、ダンスなどのパフォーマンスとともに提供する企画。伝統的な集会場アバイの見学もできる。

ランチブッフェ

陸ガニの詰め物ウカエブ

アバイ

アバイの内部

オケアノス

オケアノス・プロジェクトは、伝統的な航海術の再現を目標に、太平洋島嶼国全体で始まったものである。ニュージーランドで船を作成して、星を読んで本拠地まで航海していく。それぞれの本拠地では、教育機関と提携して、若者や子供たちにその技術を伝えたり、災害救助活動（ワクチンや物資を離島へ運ぶ）をしている。最近パラオでは、観光客への体験乗船も始まったようである。

太平洋島嶼国は、それぞれに文化と言語があり、個々がとても小さい。マスツーリズムを受け入れるのは、環境破壊、伝統の喪失の危機もある。オケアノスのように、小さな個々がつながり、伝統継承、環境をネタに観光客へアピールできるネットワークは、マスツーリズムにおいて核になっていくべきだと私は考えている。

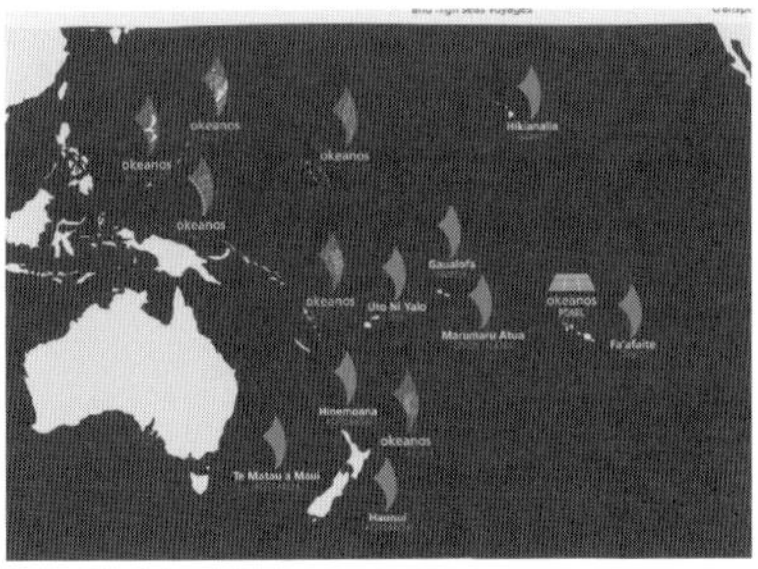

オケアノス本拠地

伝統的な帆船

島と国境

私は海が好きだ。沖縄もサイパンも、ハワイもパラオも、海で遊ぶ、学ぶ、食べる、挑戦する視点は今でも譲れない。ミクロな視点で見れば、海は生命の源泉で、マクロな視点で見れば、海は異文化をつなぐ。これまで、ミクロな視点で、海を楽しんできたことが多かったが、国際結婚の経験を経て、マクロな海の魅力に魅せられた。

ヨーロッパの城下町は、城壁で囲われていて、市民は城壁内で生活する。城の主や、それに仕える人々とその家族、その人々を対象にした商売といった形で城壁内が増えていき街ができる。城壁の外側もアクセスのいい場所から街が広がっていき、郊外が形成される。外へ広げていくことで豊かになる。ローマ帝国がいい例だ。一方、島を生活圏にする人々というのは、メインで人が住んでいる島の他に、無人島もしくは、それに近い形で目的別の島があった。雨季に収穫する島、乾季に移り住む島、困ったときに収穫する島、外からの来訪者の住む島など。日本の出島や、流刑の島は、そんな発想だろう。国境を「線」で考える城壁文化の人々は、豊かさを「線」の外に求め、領土を広げようとする。一方、島文化の人々にとって、豊かさを求めるとき、海を越えた先の新しい島へ旅に出る。移民になるわけだ。現在では、どこの国にもお手付きになっていない島などないので、移民になればどこかしらの国にお世話になるしかない。現在サイパンにいるカロリン人は、昔台風で破壊されたサタワル島から移ってきた人々である。一団のチーフ、アグレブは、グアムの提督に、サイパン移住の許可を願い出たという。きっと古代から、こうして移住したりされたりしながら、島々はやってきたのだろう。島文化とは、海という「空間」で隔てられており、それがネットワークでもあることから、国境を意識しない。しかし、小さな島それぞれに固有の文化と言語があるなかで、サイパンのカロリン人のように、海の向こうとの協力関係が命綱になることも多い。どうやって他文化と共存するのか。島文化のコミュニケーション力は、私の最近の研究テーマでもある。

　領土問題も移民問題も、国境にまつわる問題である。共存するために、あえて壁をつくることもあるかもしれない。壁があっても、自由に行き来できる方がいい。仲良くしなくても、隣がどんな奴なのか、知っておいた方がいい。仲良くするとかしないとか、決めているのは中央政府だけで、地元では意外と仲が良かったりする。分断の悲劇もよくある話だ。ボーダーランズ（境界地域）への旅の魅力は、地図上では喧嘩しているようにみえる国同士も、現地ではいい交流があることに気付いたり、主権を奪われた植民地時代を「よかった」と懐かしむ人に出会ったりすることなのかもしれない。

（ルルケド薫）

コロール島周辺

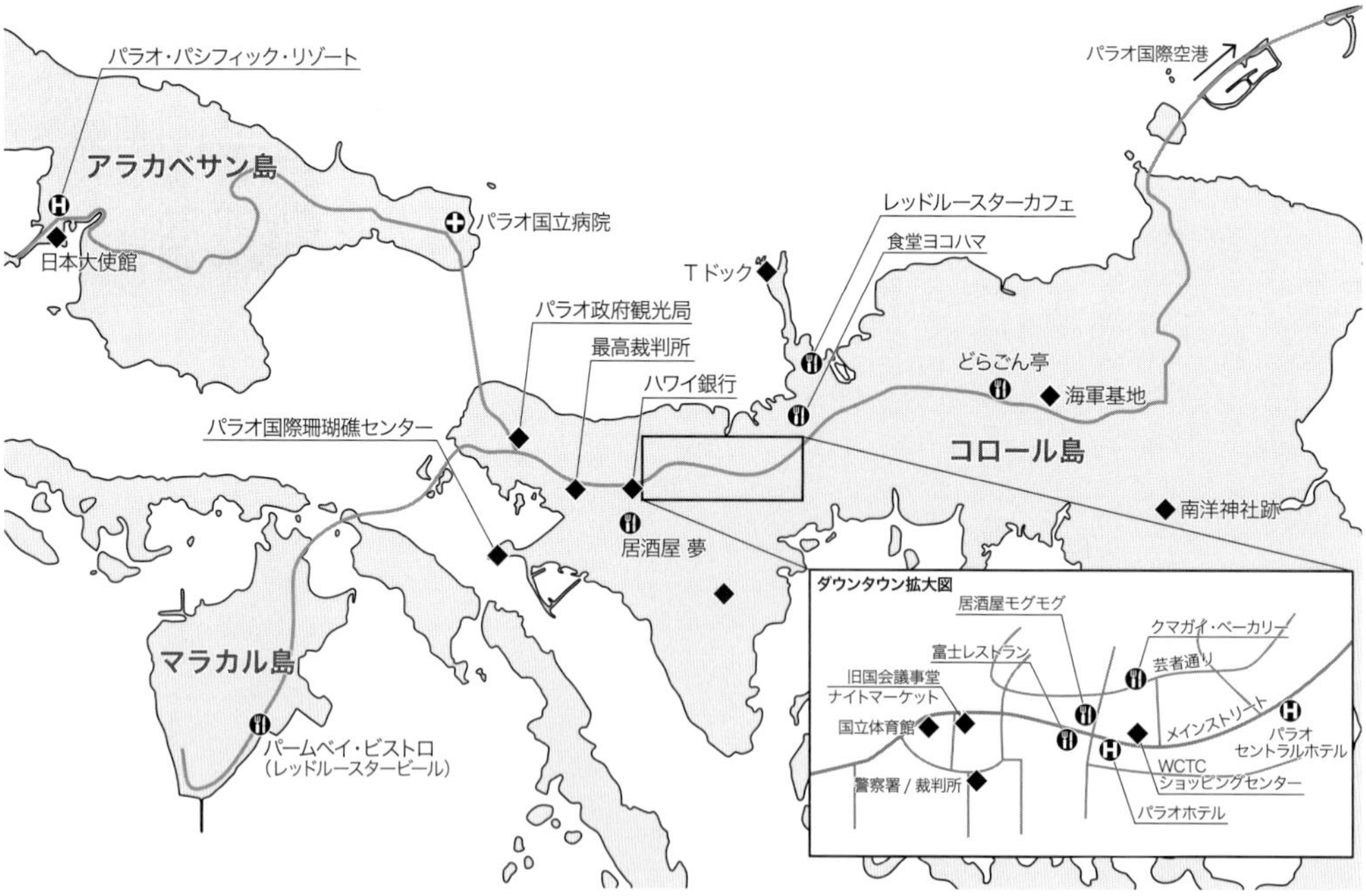

コラム

パラオのB級グルメ

真のグルメは、並み居るガイドブックにお任せするとして、私は「B級」、かつてのボーダーランズならではのグルメをご紹介しましょう。

スパムは、沖縄、ハワイ、グアムなど、米軍がいるところなら必ずある缶詰ランチョンミート。細かく切って野菜と炒めたり、スライスして焼いたりします。

スパム寿司は、パシフィックB級グルメの王様。沖縄にもありますが、ハワイから伝わったかもしれません。パラオでも大人気です。スパムという米軍フードと、おにぎりという日本ファストフードの融合。パシフィックならではの逸品ですね。黒砂糖と醤油で、照り焼き風に甘辛く焼いたスパムを、小判型のご飯の上に乗せて、海苔で巻きます。ちなみに、我が家の味は、照り焼きではなく、素焼きですが、薄焼き卵をはさんだり、ご飯にふりかけが混ぜこんであったり、それぞれの味があります。

スパム

スパム寿司

最近では、中華なスパムの食べ方もあります。

パラオにマクドナルドはありませんが、数年前にグアムへ行ったときに、スパムと卵とご飯というLocal-favorate Plateというメニューがありました。スパムとごはんが、どれだけ愛されているかわかります。

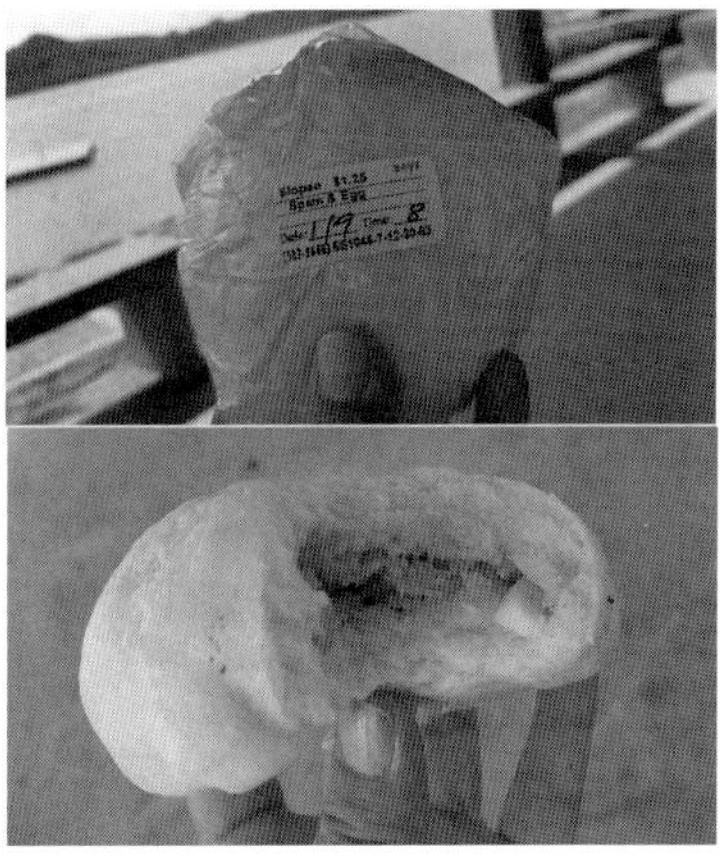
スパムまん

日本統治時代には、置屋が多かったことから、芸者通りと呼ばれていた、コロール中心街の裏通り。当時の四丁目付近にあるのが、その名も日系なクマガイ・ベーカリー。

揚げアンパン。パンを油で揚げてるだけに「油パン」。グアムからも買い付けに来るほどの人気パンです。朝、揚げたてホカホカを手に入れるのがおすすめ。名前がいいよね、油パン。

次は、同じ芸者通りにある食堂ヨコハマ。店名のヨコハマは、先代の店主の知人が横浜の人で、帰ってしまった後、忘れないようにつけたのだとか。恋人

グアムのマクドナルドで、スパムご飯を食べる娘たち

現在の芸者通り

クマガイ・ベーカリー

だったのかな？「横浜」のオシャレ感は全くなく、いかにも場末の食堂ですが、和洋折衷、異文化交差点という点では、横浜もパラオも共通点がありますね。

うどんを注文。酢唐辛子も調味料のなかにあります。沖縄のコーレグースは、島唐辛子と泡盛ですが、パラオはお酢です。さて、衝撃のうどんの真実とは。

パラオのうどんはスパゲティです。スープの味は出汁に醤油といった感じの普通のうどんのスープですが、麺がスパゲティ。「うどんちゃうやん！」という衝撃が、「おいしいのか？」という先入観を与えますが、和風スープスパゲティと思ってください。結構おいしいです。ちなみに、ヤキウドンというのもありますが、もちろんスパゲティです。

アブラパン

あんぱんもアンパンです

どこで食べても、ウドンはスパゲティ。家庭で作るときもスパゲティ、義姉なんて、スパゲティを茹でた後に冷水でしめますからね、カルチャーショックです。そもそも、パラオ語ではウドンが、ラーメン、ソーメン以外の麺類、特にスパゲティを指します。カルボナーラもナポリタンもペペロンチーノもウドン。英語でいうnoodleというところでしょうか。その昔、それを知らなかった頃、パラオ語比重多めバイリンガルの娘（当時三歳）が、レストランで、「うどん食べたい」と言うので、普通にうどんを注文した私。ところが娘は「これじゃない！」と泣き出し、隣のテーブルのミートソース・スパゲティーを指さして「あれ！」と言うのです。「あれはうどんじゃないよ」と言う私に、断固ウドンと言い張る娘。言い争う私たちに、スパゲティのテーブルのお姉さんたちが、「これはパラオ語でウドン。娘ちゃんは正しい！」と言って、分けてくれたのでした。

ヨコハマ

うどん

パラオのウドン?!

日本統治時代に、あれだけの日本人がいたのだから、うどん屋さんもあったでしょう。そこから広がって、パラオ人にも愛されるようになりましたが、戦争があって、日本人、日本文化、日本の物品はパラオから消えました。そこで、うどん好きのパラオ人が再現しようとしたけれども、麺までは至らなかったってところでしょうか。アメリカからの輸入品には、スパゲティはあっても乾麺うどんはなかったのかもしれません。ヨーロッパ列強国の統治時代もあったパラオですが、ヨーロッパ・イタリアの食べ物スパゲティは、その時パラオには伝わりませんでした。スパゲティをウドンと呼ぶことから、日本時代の後に伝わったものであるのは明らかです。本来の食べ方（ミートソースなど）ではなく、和風だしでうどんのように食べる方が好まれているのも面白いです。

観光客の多いレストランでは、Japanese Udong（普通のうどん）と、Local Udong（和風スープスパゲティ）と別のメニューになっているところもあります。注文の際に、スパゲティか日本式か聞かれることもあります。最近では、普通のうどんのみのところもありますので、「うどんちゃうやん！」とツッコミを入れつつ、パラオ・ウドンを味わいたい方は、ヨコハマへ行きましょう。

レッドルースターと
アサヒ・パシフィック・ブルー

最後にビール。

アサヒ・ブルーは、アサヒビールのミクロネシア限定販売。レッドルースターは、パラオの地ビール。もちろん原料は輸入です。パラオはドイツ統治時代もあったので、「中国の青島ビールのように当時からあるのかな？」と想像していましたが、創業は戦後でした。ドイツ統治時代は、治安維持のため、島民はアルコール類が禁止。もしかしたら、ヨーロッパ人向けに醸造所があったかもしれませんが、戦後のアメリカの統治は、先代の宗主国の残り香を嫌ったので、つぶされてしまったのかもしれません。レッドルースタービールは、醸造所隣のパームベイ・ビストロがおすすめ。街のレストランにはない、作りたて、四種類のテイストが楽しめます。

（ルルケド薫）

コラム

沖ノ鳥島

二〇一九年暮れから二〇二〇年にかけての年越しを、私は帆船「みらいへ」に乗って、太平洋上で過ごした。帆船「みらいへ」とは、日本パラオ親善ヨットレースの伴走船である。一二月二九日に横浜を出て、一六日間かけてパラオまで航海した。

二〇一九年、日本とパラオは外交二五周年を迎え、その記念イベントとして、日本とパラオ間の外洋ヨットレースが行われることになった。同時に、パラオ人セーラーの育成を目的として、OPディンギー（子供用のクラス）二〇艇が、パラオに寄贈され、日本人指導者のもと、子供のヨット教室も始まった。娘たちが参加していたことから、私もこのプロジェクトに関わるようになった。その年の独立記念日に、日頃の練習の成果を試す子供ヨットレースがあり、次女が入賞して、日本への遠征、帆船「みらいへ」での航海にご招待いただいた。そして私も保護者として参加することになったのである。

「みらいへ」は、レーススタートの二九日に横浜を出港した。前日の前夜祭に出席するため訪日中だったパラオのレメンゲサウ大統領も、クルーザーに乗ってスタートを観戦、パラオ人クルーもいるレース艇ミニー号や、「みらいへ」の私たちに、「腹が減ったら釣り糸をたらせよ！」と冗談を飛ばした。天気はよかったが、大陸から低気圧がせまって来ており、湾内はまだよかったが、外洋に出るととたんに時化た。レース艇たちは、時化をものともせず、パラオを目指して南下するものもあれば、島影や湾内で荒天を退避するものもあった。私たちの乗る「みらいへ」は、子供もいることから、相模湾へ戻り荒天退避することになった。船の傾斜は三〇度以上、傾斜計が時化を物語る。そんななか、相模湾から見えた富士山は、葛飾北斎のあの浮世絵そのもので、意外にも船酔いしなかった私は、そんなことに感動していた。

低気圧通過のめどが立った大晦日、「みらいへ」は南下を開始する。元旦早朝に三宅、八丈、青ケ島を遠目にみながらパラオを目指した。久しぶりに食べた年越しそばは、時化の船の傾斜がひどく、こぼれるからと、どんぶりにちょこんと、まるでわんこそばのようだった。船内のテレビでみていた紅白歌合戦が、だんだん受信できなくなっていき、日本が遠ざかって行くのを感じた。

小さくなっていく富士、受信できなくなっていく紅白歌合戦、遠ざかる故郷に感傷的になりそうなものだが、意外にも、だんだん暖かく、湿気を含んでいく空気、慣れ親しんだ潮のにおい、パラオが近づく感覚に、安堵と興奮の方が大きかった。もっとも、同行していたのは次女だけで、夫も長女と三女も、パラオに残していることを思えば、当然なのかもしれない。ただ、アイデンティティという感覚において、帰国子女特有の混乱を、今もこじらせている私にとって、どこの「国」からも離れている海の上が、不思議と居心地がよかった。政治的には、海上はまだ日本だったが、携帯電話や衛星放送の電波も届かない。日本の文化も言語もそこにはなく、あるのは海だけ。日本人だけど「外国人」に近い私、日本人だから「外国人」という私に、ふさわしい居場所のように思えた。

　二日に鳥島、そうふ岩を通過して、七日に沖ノ鳥島を望む。圧倒的に何もない海上に、突如として現れる人気のない構造物。高足の建物は三つあった。その一つは生活できそうな建物だった。ずいぶんとパラオが近くなったような気でいたが、そこがまだ日本であることを主張する「立入禁止」の看板。看板は真新しいヘリポートのような構造物についていた。領海侵犯の定義から言えば、この「立入禁止」は、この建物、島への立ち入りを禁じたもので、海域への立ち入りという意味ではないだろう。だが、私には、周辺海域を含む「日本」への立ち入りを禁じる看板のように思えた。無人なのに、関所のような威圧感があった。島の周辺は、珊瑚礁の特有の緑がかった海で、白波が立っていて、そこが浅瀬であることがわかる。それでも島そのものは、よく見えなかった。そうふ岩の荘厳な自然美を見た後だったせいか、自然に抗う構造物の痛々しさに、国境とは、不自然に人間が引く境界であることを痛感した。

沖ノ鳥島遠景

　沖ノ鳥島の重要性は、ＥＥＺ（排他的経済水域）の概念から生まれている。ＥＥＺとは、海における主権的権利（調査、保全、採取等）を沿岸国に分割する決まり事である。ＥＥＺ内では、他国の船や飛行機が通過したり、ケーブルを通したりすることに制限はないが、軍事活動、漁業などには制限がある。さらには、地質学上同じ大陸棚と認められた場合に限り、ＥＥＺ以遠に主権的権利を延長することもできる。こうなると、領土からかなり離れた海域まで認められ、当然だが、周辺国とＥＥＺ、延長大陸棚が重なることもあることから、重複する場合は特に、周辺国との調整や合意も考慮しなければならない。沖ノ鳥島は、この点でパラオとつながっている。沖ノ鳥島は九州パラオ海嶺にあり、沖ノ鳥島を基点としたＥＥＺ以遠、延長大陸棚として日本が申請している海域が、パラオの申請中の延長大陸棚と一部重複しているのだ。延長大陸棚は日本側もパラオ側も、現在のところ、まだ勧告を受けておらず、周辺海域は公海のままではあるが、日本は、沖ノ鳥島を通じて、海の主権的権利をパラオと共有することになる。そしてパラオ側も、口上書をもって、これに同意している。ただ、この日本の申請は、沖ノ鳥島を島と認めないという中国の主張から、勧告先送りになっていることも付け加えておく。

　日本は、日本財団を通じて、パラオの領海警備において七〇億円もの援助を行っている（コラム「パラオの領海警備」を参照）。広大な領海を警備するには、パラオだけでは不十分というのも事実であり、援助は大変ありがたい。とはいえ、国防という分野で、他国が資金力をもって関与するというのは、あまり健全という印象ではなかったのだが、「海域における主権的権利を共有」し、海洋法秩序における責任「主権的権利の途上国への還元」と考えると納得がいく。

沖ノ鳥島は、パラオと日本をつなぐ基点である。双方に非核憲法のある、日本とパラオの主権的権利のある海域（他国の軍事活動は制限される）がつながることは、強大な軍事力を持つ中国とアメリカが接近している太平洋において、緩衝材になるかもしれない。正直なところ、沖ノ鳥島は、私の感覚でいう「島」ではなかった。しかし、太平洋上に、軍事活動を制限された海域が、隙間なく広がることは、意味があろう。かつては戦争に泣いた太平洋が、その名の通り平和を守る海となるように。

（ルルケド薫）

沖ノ鳥島

Ⅱ　パラオの歴史

パラオってどこ？―パラオに住んでいるというと、決まってそう聞かれる。ハワイやフランスだったら、こんなことはないだろう。にもかかわらず、アメリカ、日本、台湾と中国はもとより、ヨーロッパやオーストラリアまで、さまざまな国が関わっている。パラオが独立したのは一九九四年と新しい。それまでスペイン、ドイツ、日本、アメリカの統治を経験している。その理由を突き詰めると、地政学に突き当たる。誰も正しくは知らない、この辺境の小さな島が、遠くの大国の思惑に組み込まれているのだ。翻弄されるのは、いつも地元の住民。そのたびに傷つきながらも切り抜ける様子が逞しい。大国の思惑とパラオという視点で、この章をすすめていこう。

先史時代と創成神話

遺跡の研究によると、パラオには、今より三〇〇〇年以上前から人が住んでいたらしい。古代のパラオ人は、どこから来たのだろう？土器を使っていたという点では、グアムやマリアナに近く、フィリピンや台湾など、アジアの少数民族とも似ていながら、食べ物や社会形態などは、明らかにポリネシアとも共通点がある。言語の系統からみると、他のどの島とも異なっているという。研究者が少ないせいもあるが、いまだに謎が多い。太平洋の片隅にぽつねんとある小さな島だから、独自の文化や言語が育まれたとするのが正論かもしれないが、大昔から、起源がわからなくなるほど、さまざまな人種と文化のるつぼだったのかもしれない。最新の研究では、想像以上に古くから、人々は太平洋上を広範囲に移動していることがわかっている。まるでインターネットにアクセスするように、海というネットから、絶海の孤島だからこそ、より多方面からアクセスがあったのではないかと、私は想像している。謎の多い考古学的な知見はさておき、パラオに伝わるパラオの起源、創成神話を紹介したい。

今は昔、パラオが一つの島であった頃、ウアブという名の子供があった。ウアブは、たくさん、たくさん食べて、どんどん、どんどん大きくなった。食べ物を棒の先につけて、はしごに上って与えるほどである。あまりの食欲に、村中の食べ物も、島中の食べ物も食いつくして、人々が飢えるようになってしまった。困った人々は、ウアブを騙して、薪の上に立たせ、火を焚いた。ウアブは、頭を北に足を南に、海に倒れて、その体がパラオとなった。母親は悲しんで、ウアブの亡骸に草木のベールを被せたという。ウアブの足にあたる、南の州

ウアブのストーリーボード

には足に関する地名がある。アンガウル島の名前の由来はメラウル（またぐ）だし、ペリリュー島にもガルデロックル（踏む）という村がある。

神々の死体から世界ができたとする神話を、死体化生神話というが、島を神々の体にたとえる神話は、地理的に近いインドネシアでもよくみられる。ポリネシアをモデルとした、ディズニー映画「モアナ」でも、女神の化身の島が出てくる。島の恵みの擬人化、神化は、時に怒り、時に優しく実りをもたらす、有限で気まぐれな自然に、畏怖と感謝を呼び起こす世界観である。

人間はウアブにたくさん食べさせた。だから今、ウアブは人間を養ってくれるのだとパラオ人は言う。

通称おじさんアイランド
お腹の大きなおじさんが横になっているように
見えないだろうか ウアブも、こんな感じだろうか

ヨーロッパ列強国の思惑

スペインとポルトガルが、勝手に世界を分割していた時代から話を始めよう。一五世紀頃、陸の交易路をオスマン帝国が抑えていたため、高い関税をかけたオスマン帝国を通過せずにアジアの物産を手に入れたいと思ったヨーロッパの西端の両国は、海路の開拓に乗り出した。航路、寄港地をめぐって争いがおき、一四九四年に大西洋上の子午線を境に、西をスペイン、東をポルトガルと、なんとも横暴な世界分割をする。目的地アジアでは、貴重な香辛料を求めて、フィリピンの南にあるモルッカ諸島の領有をめぐってまたも争い、一五二九年サラゴサ条約でモルッカ諸島はポルトガルの領有と決まる。東経一三三度付近の子午線を境に、アフリカ、アジア側がポルトガル、アメリカと太平洋がスペインとなった。東経一三三度といえば、ちょうどパラオである。ところが実際は、当時の計測技術では、厳密な境界を割り出すことが難しかったからか、直前にスペインのマゼランがフィリピンに上陸していたからか、一三三度線より遥か西、アジア側のポルトガル領でもいいはずのフィリピンはスペイン領となり、フィリピン以東太平洋上にあるパラオも、スペイン領に組み込まれた。

この頃から存在は知られていたが、危険な暗礁に囲まれていて、外国船を寄せ付けなかったパラオは、一五七九年にイギリス人のフランシス・ドレイクが寄港するまで、ヨーロッパ人との接触はなかった。それも、ドレイクがパラオ人二〇人を殺害するという、友好的とは言い難いものであった。パラオの歴史上、特筆すべき接触は、一七八三年のイギリスの貿易船アンテロープ号の座礁である。船長ヘンリー・ウィルソンと乗組員たちは、コロール島へ上陸し、コロールの大首長アイブドゥールの許可と協力を得て、船を再建することとなった。代わりに、対立している北の勢力圏との戦いに、銃器をもって加勢して、長年続く戦いに、大首長アイブドゥールの勝利という決着を導いた。ウィルソン船長と乗組員たちは、約三カ月パラオに滞在し、大首長の息子リー・ブーをイギリスへ連れて帰り、滞在記を出版したので、パラオはヨーロッパで知られることとなった。伝染病や銃器というヨーロッパ人の置き土産は、パラオだけでなく、ミクロネシアの他の島々でも人口減少を招いた。

スペイン、ポルトガルにやや遅れて、領有地争奪戦に加わったイギリス、オランダ、フランスは、探検による「発見」ではなく、土地の利用、定住などの物理的占有こそ領有の条件として、積極的に現地に食い込み、ミクロネシアの植民地化が進んでいく。イギリス、ドイツなどのヨーロッパの商人が、ナマコ、真珠、べっ甲、コプラ（椰子の胚乳を乾かしたもの）などの採取、栽培、取引のためにパラオへやってきた。イギリスは、その後も政治、経済において関わっていたが、パラオはイギリス領にはならなかった。イギリス人商人のチェイニーが、殺害されたからかもしれない。ミクロネシアでのコプラ貿易で力をつけてきたドイツに、肝を冷やした宗主国スペインは、一八八五年、法王の裁定を求め、公式に領有宣言をした。しかし、ドイツ、イギリスの経済活動、寄港地としての利用は認められ、ドイツは、パラオのアンガウル島のリン鉱石の採掘など、ますます力をつけていく。スペインは、カプチン修道会によるキリスト教カトリック教会の布教に力を入れた。今もパラオ人の多数がカトリック教徒である。

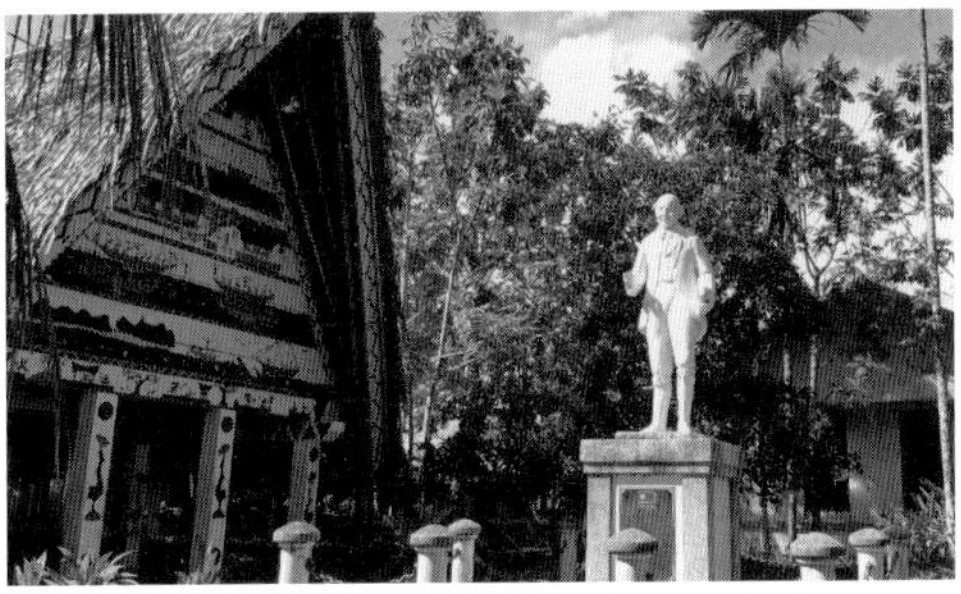
リー・ブー　洋装のリー・ブーの銅像が、パラオ・コミュニティー・カレッジにある

一八九九年、米西戦争に負けたスペインは、パラオを含むミクロネシアをドイツに売却する。ドイツは、ミクロネシアにおいてインフラ整備、義務教育、治安維持政策、プロテスタントの布教などを行った。ドイツ時代にヤップ島からグアム、メナド、上海へ引いた海底ケーブルは、今も使われており、ここ数年でやっと高速化したパラオのインターネットのケーブルもここにつながっている。コプラ栽培や輸送のための用地を確保するため、伝統的に母系相続である島々に、父系的相続に変えるような土地改革を計画し、実行したポーンペイで、住民の大きな反対にあった。この政策は、第一次世界大戦の勃発により、パラオでは施行されなかった。

カトリック教会

ジャーマン・チャネル

世界を勝手に分けたサラゴサ条約をはじめ、ヨーロッパ列強国の横暴な思惑が、世界を席巻していた時代である。パラオは、絶海の孤島だからこそ、航海の補給基地としての価値があったのであろう。大きな船を寄せ付けない暗礁に囲まれたパラオだったが、ドイツ統治時代、珊瑚礁を掘って、大きな船のための水路が作られた。今も、ジャーマン・チャネルと呼ばれ、現在では、マンタに会える有名なダイビング・ポイントである。

日本の南進論と太平洋戦争

一六世紀の世界領地争奪戦には鎖国を決め込んでいた日本だが、開国後、一九世紀から二〇世紀にかけての経済中心、軍事戦略的領地争奪戦には参戦することになる。一八七三年小笠原諸島の領有を宣言、一八七九年の廃藩置県で琉球王国を併合、一八九四年の日清戦争で台湾を領有し、一九一四年の第一次世界大戦の後にミクロネシアを委任統治領とするまで、少しづつ南へ駒をすすめていく。

ミクロネシアにおけるドイツやイギリスの活発な交易や、領地獲得の思惑に、地理的に近い日本が刺激を受けたのは当然である。一八八六年に日本海軍は初めて南洋を巡航、明治天皇から海防整備の詔勅を受けるが、ヨーロッパ列強と友好関係を維持すべく、盛んだった自由貿易主義を背景に、経済活動をより重視していく。この時期の日本では、工業化による生活水準の向上からの人口増加、都市化からの犯罪の増加などを理由に、さらなる資源の可能性、新たな入植地、犯罪者流刑地として、パラオを含むミクロネシアが注目されるようになっていた。ドイツ領ミクロネシアへの日本企業の進出は著しく、貿易の約八割が日本との取引であったという。

第一次世界大戦が始まると、日本はドイツ領ミクロネシアを占領する。そして戦後（一九一四年）より、国際連盟の委任統治領として、公式に統治することになる。一九二二年に南洋庁が設置されるが、台湾や樺太のような植民地統治とは異なり、島の住民には日本国籍はなく、「三等国民」として、日本国帝国臣民より地位が低かった。もともと経済関係が深く、新たな入植地を求めていたため、移民の流入も著しく、入植した日本人の数は、パラオ人を大きく上回った。

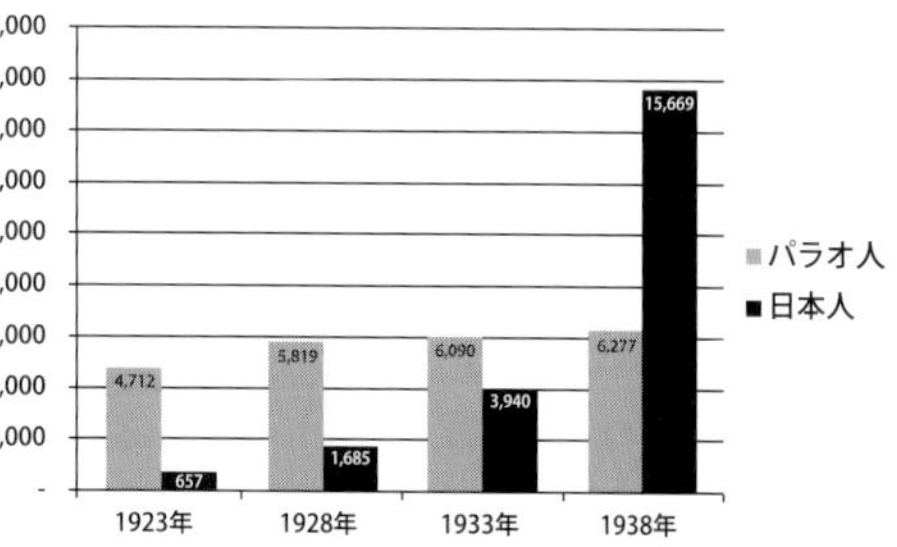

パラオ国立博物館資料
パラオにおける日本人人口の推移

国際連盟の介入により、軍政は民政へ移り、独立へ導くための暫定的な統治という、一見反植民地主義的な委任統治だったが、上下関係があるところに膨大な支配層の流入で、島の住民の奴隷化がおこった。

ドイツは、コプラ貿易に適した良港のあるポーンペイを南洋統治の本庁としたが、日本は、パラオに南洋庁の本庁を置いた。

「内南洋」の西の境界にあり、アメリカ領グアム、フィリピン、オランダ領インドネシア、資源の豊

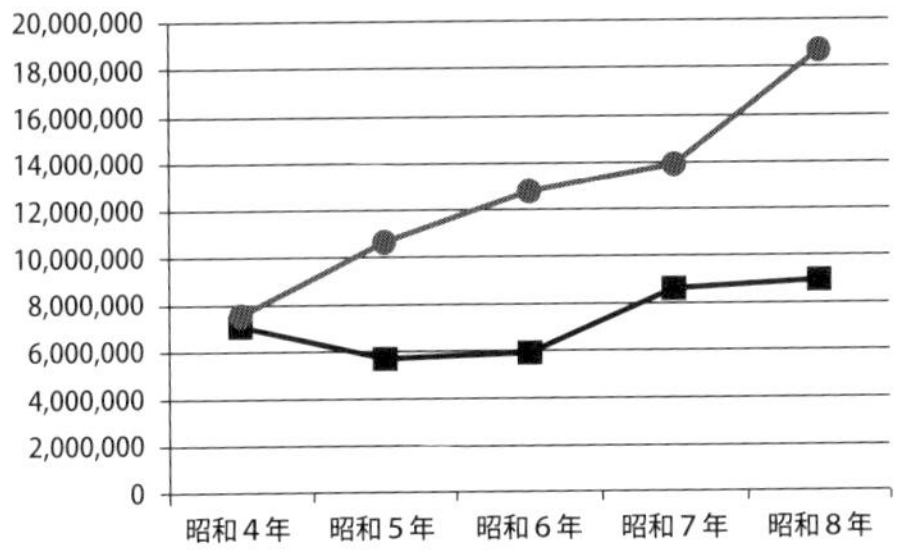

「日本の南洋群島」のデータより作成
貿易の様子 完全な貿易黒字である

南洋庁本庁の建物。現在は教育省。

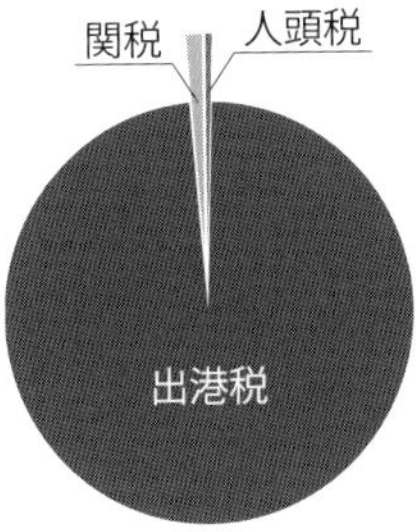

租税収入（昭和９年換算）

人頭税	10,270円	0.3%
出港税	3,288,350円	98.4%
関税	42,429円	1.2%
鉱区税	574円	0.1%
合　計	3,341,623円	100.0%

※鉱区とはリン鉱石等の採掘場
1000 坪毎１円

「日本の南洋群島」のデータより作成
南洋庁の税収の割合では出港税が 98%、
貿易による収入がほとんどである

富なオーストラリア領ニューギニアなど「外南洋」にも近いパラオは、南洋群島のなかでも特に重要視された。当初から軍事的意図も垣間見えるが、そもそもは外南洋との貿易の基点にする目的だったと思われる。後に述べるアメリカのミクロネシアにおける政策のような、軍事拠点を広げる目的以上に、貿易による友好国を増やし、日本人のための資源、生活圏を確保するという方針だった。財政は、貿易による税収や、進出する企業の投資により、国庫からの援助金に頼らないどころか、一般会計財源に繰り入れるまでに成長する。パラオは「成長の先端」と呼ばれた。

とはいえ島嶼国は、面積も狭く、埋蔵資源も決して多いわけではない。大日本帝国における総生産のうち、南洋群島からの生産が、そう大きな割合であったわけがない。それでも、ソテツ地獄にあえぐ沖縄からの移民を吸収し、自立した経済を達成できたことは、海外からの援助金に依存している今を考えると夢のようだ。ただ、ハワイのケースと比較すると、私は、これを手放しで称賛する気にはなれない。経済発展は、何もなかった辺境にも、就労機会も娯楽も、教育も医療ももたらす一方で、新しい価値観によって、伝統文化や少数民族の粛清を静かに圧し進める。侵略に気づいたとき、発展の恩恵を受けた分、もう元には戻れないのだから。

大日本帝国は、ますます増加していく人口に伴い、新たな資源と移住先の確保に焦り一九三一年に「満州事変」を引きおこす。そして国際連盟から「侵略」の裁定を受け脱退する。脱退後も、アメリカ領のフィリピンとハワイのラインを分断し、グアムを囲むミクロネシアのを手放さなかったことは、アメリカを刺激した。こうしてパラオは、太平洋戦争（一九四一～四五）に巻き込まれてい

2015 年にパラオを訪れた天皇皇后両陛下（RITC 提供）

く。その結果、一九四四年にペリリュー島、アンガウル島は玉砕（日本軍全滅）、また、ペリリュー島の戦いは、日米両軍ともに凄惨を極めた。二〇一五年、天皇皇后両陛下（現在の上皇上皇后両陛下）がペリリュー島を慰霊で訪れたのは、記憶に新しい。危険を顧みず車の窓ガラスを開け、お顔を熱気に紅潮させながら、汗が見えるほどの距離で、手を振ってくださったのには、私の娘たちも、心を打たれたようだった。

アメリカの動物園政策とパラオの独立

さて、戦後に話を進めよう。パラオは太平洋戦争後の一九四五年、国連信託統治領「特別地区」として、軍事利用を特別に認められたアメリカの事実上の領土となる。このことから、アメリカのミクロネシアに対する重要性とは基地などの軍事利用であることがわかる。次々に基地を作り、核実験を繰り返した一方、信託統治領として、社会経済開発の義務もあったが、それについては芳しい結果がなく、国連の視察団から批判を受けた。機密性を保つため、外国人の居住を認めず、特に日本人は強制送還された。戦前のように、日本企業の進出によって日本との関係が強化されることを懸念して、日本からはもとより国内からの投資さえも制限した。「成長の先端」として自立していたパラオは、戦後に継承されることはなかったのである。ハワイにおいて、製糖業を足がかりに入植と統治が成功した前例を考えると、アメリカが製糖業を復興しなかったのは意外である。それほどまでに機密性にこだわっていたということだろう。

多額の援助金と引き換えに外部との接触を制限するアメリカのミクロネシアにおける統治は、「動物園政策」と言われている。まるで檻の中の動物に餌をやっているようだからだ。ただ、これはパラオの伝統文化にとっては、悪い結果ばかりではなかった。アメリカは、日本が持ち込んだ社会システムを排除し、伝統的なパラオ独自のものに戻したためだ。二一世紀の今もなお、伝統議会に権威があり、べっ甲の皿やマネービーズという、独自の貨幣が流通しているのは、この政策の副産物だろう。もしもアメリカによる入植が進んでいたら、ハワイのように、社会システムも言語も失っていたかもしれない。栄華を極めた日本時代を懐かしむ老人もいるが、あのまま「成長の先端」であり続けても、同じことが起こっただろう。

アメリカがここまで機密性にこだわったのは、核兵器の存在もある。アメリカは、一九五四年に日本漁船・第五福竜丸が被ばくしたビキニ環礁をはじめ、再三ミクロネシアで核実験を行っていることからもわかる。当時の最新兵器であり、本土から遠く、市民の反対もなければ、敵国隣国に知られる可能性も少ない。絶海の孤島という立地を生かした軍事利用である。そしてパラオの独立こそが、その野心に楔を打ち込むことになる。パラオは一九九四年一〇月に独立した。戦後の植民地解放運動を受けて、ミクロネシアが信託統治領という関係を清算し始めたのが一九八〇年代、パラオは遅れること一〇年である。なぜ遅れたのか。それは小さなパラオが、宗主国アメリカの意のままにならなかったからだ。国連信託統治領である限り、アメリカはパラオの独立を認めなければならない状況であったが、軍事利用の野心を手放したくなかったので、コモンウェルスか自由連合協定を提案する。コモンウェルスとは、ある程度の自治権を残したアメリカ領という選択。自由連合とは、独立して、防衛権をアメリカに委ねる代わりに援助金を得るというものである。いずれにせよ、アメリカは軍事利用を諦めていないのがわかる。もちろん完全な独立という選択肢もあったが、動物園政策によって、経済発展を制限されていたパラオにとって、援助金もなしに独立するのは現実的ではなかった。サイパンを含む北マリアナはコモンウェルスを選ぶ。基地建設計画のあったパラオとマーシャルは、基地からの収入を見込んで、他のミクロネシア地域とは別に、それぞれ独立して自由連合となることを選んだ。

一九八一年に自治政府が成立したにもかかわらず、パラオの独立が遅れたのは、起草されたパラオ憲法に、非核条項が含まれていたからである。核兵器を主とした軍事利用が目的のアメリカは、当然のごとく非核条項の改定を要求し、援助金を削減してまでパラオを締め付けた。それでも、再三の住民投票で非核条項を除くことへ賛成を得られず、アメリカは、領土領海の利用は有事の際に限られること、万一、核によって汚染した場合には、十分な補償をすること、援助金も増額として、自由連合協定を締結、パラオは独立を果たした。非核条項はそのまま、でもアメリカとの協定には適用しないとして、巧妙にアメリカの軍事権は保たれている。しかしながら、小さな国が平和に対する姿勢を貫いたこと、アメリカの軍事圏内に、非核を掲げる国があるということは、アメリカの野心に楔を打ち込んだと言ってもいいだろう。アメリカが、パラオの軍事利用に、これほどまでに固執したのは、アジアの戦線であった小笠原、沖縄が、非核の日本へ返還されたことも一因かもしれない。

最後に、一九七四年に立案され、一九七〇年代後半に議論されたスーパーポート建設計画について触れておこう。この計画は、一九七〇年代の石油危機の教訓から、パラオの北の珊瑚礁を埋め立てて、石油を備蓄できる、巨大な港湾施設（原子力発電所を含む）を作るというものだった。アメリカ、日本、イランの、国営や民間の企業が計画し、実現すれば、パラオに大きな経済効果があるとされた。実際、この計画を実現させて、アメリカからの援助金に頼らない独立を実現しようという派もあったが、環境や社会への影響を懸念したパラオは、国連へ調停を願い出て、計画を退けた。冷静にみれば、パラオは人口二万人の国である。石油の備蓄によってパラオが受ける恩恵は、割合からすれば少ない。他国のための巨大な施設による環境破壊のデメリットの方が大きいとしたのは、まともな判断である。しかし世界は、まだ環境破壊へ目が向いていない、戦後の経済成長と工業化の時代である。経済成長より環境へのリス

コッソル・リーフ　バベルダオブ島北端から
カヤンゲル環礁までの間にある暗礁
スーパーポートの建設予定地だった

クを重視したパラオはすごい。ただ、環境保護意識が一般的な現在でさえ、中国からの投資に環境を考えることなく飛びつきそうだというのに、当時のパラオは本当に、環境リスクを理由にドル箱を突き返したのだろうか？　そもそも誰のための計画であったのか？　計画の恩恵は日本が受けることから、日本の民間企業であったかもしれない。援助金に頼らないパラオの独立を望んだアメリカの軍縮派が仕向けたのかもしれない。スーパーポートの軍事転用を想定して、日本にもパラオにも利潤を掴ませることで、ＷｉｎＷｉｎに持ち込みたかったアメリカ軍の画策かもしれない。そして、パラオの口を借りて、突き返したのは誰か？　そんなことを妄想しながら、この章を結ぶとしよう。

台湾と中国の思惑

在パラオ中華民国大使館

太平洋小島嶼開発途上国は、台湾（中華民国）と中国（中華人民共和国）の外交合戦激戦区だ。台湾は、自らの独立性と問題の国際的な認知のため、独立国として国交を結ぶ交渉に熱心である。一方、中国は「一つの中国」のポリシーから、台湾と国交のある国に断交させ、新たに中国と国交を結ぶよう仕掛けている。どこの国も、大きな産業もなく、他国の援助に頼っている財政なので、

援助金や投資といった経済支援、つまり「買収」の応酬である。

独立国として歩み始めたパラオは、独自に外交を始める。日本も一九九四年のパラオ独立当初から外交を樹立した国の一つであるが、台湾とも一九九九年には国交を結んでいる。パラオを飲み込んだ中国の波をお伝えしよう。

最初の兆しは、台湾の中国国民党が政権を執り、馬英九が総統になった二〇〇八年のことだ。あるホテルの建設が頓挫した。建設中の頓挫などよくあることなのだが、噂で聞いたその理由というのが、グアンタナモ収容所の収容者だったウイグル人六人の移送をパラオが引き受け、中国からの引き渡し要求を拒否したことだという。だが、オーナーは台湾資本ではなかったのか。中国大陸系の資本ではないのになぜ？　ほどなく建設が再開され、ホテルはやはり台湾系としてオープンした。

ここで、背景について簡単に説明しておく。中国と台湾は、国共内戦以降、互いを認めず、中国統一を目指して対峙してきた。しかし、一九八〇年代後半から、中台間の民間交流が一部解禁されたことで、緊張関係が緩和、一九九二年のコンセンサスに至った。九二年コンセンサスとは、互いの「一つの中国」の解釈が異なることを認め、はっきりさせるのは保留、政治にこだわらず仲良くしよう！　というものだ。当時総統であった李登輝は、国際社会が大陸の方を中国と認め始めたのを懸念して、「一つの中国だが、故あって二つの制度が争い合ってる」という現状を、国際的に認めてもらうため、外交政策に積極的になった。パラオは、この李登輝の中華民国と国交を樹立した。一九九九年のことである。ただ、

中国には、中華民国の主権回復のための外交と受け止められた。

台湾の二大政党は、民主進歩党（民進党）と先述した中国国民党である。民進党は「台湾は台湾」、中華民国でも中華人民共和国でもないとする支持層が基本である。国民党は「中華民国」の政党、「一つの中国」として統一を目指す派と、台湾周辺を国家として独立を目指す派がある。与党が、台湾海峡に国境を引く民進党、国民党独立派だと、外交合戦が激化するのは想像に難くない。パラオは、一九九九年の国交樹立からの二〇年間のうち、二〇〇八年から二〇一六年までの馬英九の時代、台湾海峡はいわば「国境のない」時代を経験した。

馬英九の対中政策は、九二年コンセンサスを根拠に、中台交流を促進する方針だった。北京オリンピックの特需以来、急速に力をつけてきた中国を、巨大市場として取り込みたかったのかもしれない。外交合戦はひとまず休止、台湾からの援助も、中華民国の看板を掲げたODAではなく、民間からとなった。パラオでも大変評価の高い、パラオ国立病院と新光医院の提携が始まったのも、この時期である。この提携は、医院が直接、パラオ国立病院に持ちかけたもので、中華民国政府は当初公式には関与していなかった。

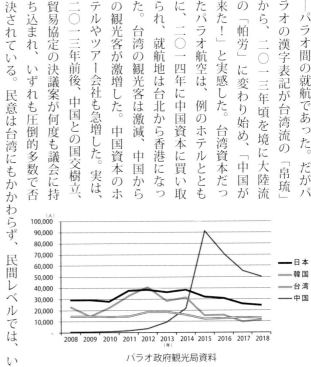

こうしたパラオ政府も中華民国政府も関与していない援助が相次いで、パラオはちょっと混乱した。同時に経済投資においても、先のホテルのような、大陸の気配のある台湾系インベスターが入り始めた。パラオをベースにしたパラオの航空会社ができたのも、馬英九時代の二〇一一年である。これも当初は台湾資本で、台北―パラオ間の就航であった。だがパラオの漢字表記が台湾流の「帛琉」から、二〇一三年頃を境に大陸流の「帕劳」に変わり始め、「中国が来た！」と実感した。台湾資本だったパラオ航空は、例のホテルとともに、二〇一四年に中国資本に買い取られ、就航地は台北から香港になった。台湾の観光客は激減、中国からの観光客が激増した。中国資本のホテルやツアー会社も急増した。実は、二〇一三年前後、中国との国交樹立、貿易協定の決議案が何度も議会に持ち込まれ、いずれも圧倒的多数で否決されている。民意は台湾にもかかわらず、民間レベルでは、いとも簡単に「買収」は行われた。

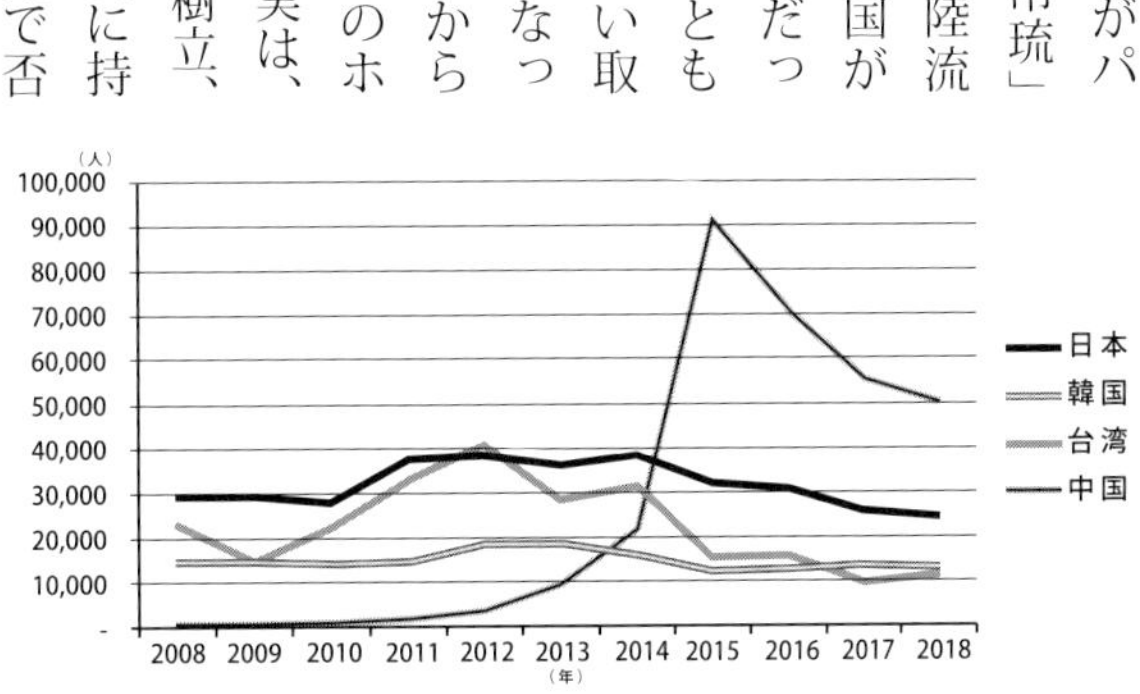

パラオ政府観光局資料

二〇一四年をピークに下降しているのは、二〇一五年に、急激に増えた観光客が及ぼす環境への影響を懸念して、中国からの就航を減便する大統領令を出したことによる。二〇一六年から（現在に至る）、台湾の政権が、蔡英文を総統とする民進党に代わったのも下降の原因である。中国は、パラオに中華民国との断交を迫り、観光客の渡航を規制したのだ。パラオだけでなく、台湾にも、中国からの観光客の渡航や物品の交易を規制したので、台湾も不況に陥った。急激な投資と観光客の増加で依存状態を引き起こし、中国との国交樹立へ誘導しているとの批判さえあった。それでもパラオは、蔡英文政権の台湾との国交を維持し、中国にＮＯと言う小国としてニュースになった。現在、パラオのスーパーでは、台湾産の農作物や家電などの取り扱いが増え、市民にも好評だが、これらは、中国から締め出された台湾の農家や企業から買っているという。

今後も中国は巨大な市場と投資を以て、パラオに迫ってくるだろう。経済効果を期待して、中国との関係を強めるべきという考えもある。中国の一帯一路構想は、中国からアジアを経由してヨーロッパへ至る鉄道を、すでに完成させている。太平洋での外交合戦は、台湾への当てつけではなく、一帯一路構想を広げる前座だとする見方もある。二〇二〇年、パラオは大統領選を迎える。アメリカも台湾も同様だ。中国資本撤退以来、空きビルだった建物にも手が入り始め、土地の売買にも動きが出始めた。パラオ新政権の台湾断交を見込んでか、中台親和の台湾国民党統一派の勝利を見込んでか、中国の一帯一路構想の延長か、パラオに中国の気配は確実にある。

他国の政治情勢により、短期間で経済が乱高下するのは、あまり健全ではない。途上国の需要につけこんだ新植民地主義という批判ももっともだ。一帯一路のような経済圏構想、物流ネットワークは、いくらその意図はないと言っても、有事の際には確実に軍事転用されるし、強引すぎる「買収」が周辺諸国を刺激して、それが火種になるというのは、太平洋戦争の教訓である。歴史は繰り返してしまうのかな……のんびりした南の島で、そんなことを考えている。

（ルルケド薫）

コラム

パラオ語化した日本語

　タワシ、シューカンなど、面白いと話題のパラオ語化している日本語。パラオは、一九九四年に独立するまで、宗主国がころころ変わる植民地でした。どの宗主国にとっても、最果ての小さな植民地であったことは間違いありません。最果て、つまり国境に位置しているからこそ、宗主国がころころ変わるという歴史があるのかもしれません。日本統治時代には、皇民化教育と称しての現地パラオ人の教育（日本語、神道、大工などの技術）も行われました。そのため、当時教育を受けた世代は今も日本語を話し、数々の日本語が残っているのです。特に、パラオにはなかった物、概念などが、日本人が持ち込んで、日本語のまま使われているケースが目立ちます。例えば、ヤサイ。野菜です。キュウリもナスもナッパも、そのままです。日本人が持ち込むまで、野菜なかったんだ！

これは、缶ビール１ケース買うとオリジナルＴシャツがもらえます！という広告

　では、スペイン語、ドイツ語もあるのでしょうか？　教会はパラオ語でゲレシャといいます。スペイン語の〝Iglesia〟です。パラオ語で「待て」はハルといいますが、これはドイツ語、〝Halt〟です。教会がスペイン語なのはわかりますが、そんなに、パラオに住むドイツ人は待たされてたのか？　まあ、秩序とコントロールということでしょうか。

オリジナルＴシャツがこれ

　こうした経緯を知ると、パラオ語化した日本語は、日本人としては恥ずかしく、パラオ人には悲しい負の遺産かもしれません。しかしながら、パラオが、言語を含むユニークな文化を、たくましく紡いでいる証拠でもあり、あえてポジティブな笑いをもって、ここに紹介させていただきます。

　ツカレナオス？「疲れ治す」です！　仕事の後にビール飲む、確かに疲れ治りますね。仕事の後、飲みに行くことをパラオでは、ツカレナオスと言います。そこから派生して、ビール自体のことを、そう呼ぶこともあります。面白いのは、バーテンダーはバントウサン。番頭さんです。「さん」までが単語。バーテンだけでなく、カウンターの向こうにいる人がバントウサン。レジの人もそうです。バーテンがパラオ人のバーに

病院の会計窓口

行ったら、「番頭さん、疲れ治す！」って言ってみて。ビールを出してくれるはず。

さて、疲れ治しすぎちゃって、体調不調になってしまったアナタは、病院へ行きましょう。治療が終わったら、こちらの窓口へ。

ハラウって書いてありますよね。パラオ語でも支払うことをハラウと言います。ちなみに、お釣りもオツリ。現代的な貨幣経済は、日本時代がベースなのでしょうか。

次はこちら。

オビス・ラ・センギョって書いてあります

選挙のオフィス、選挙管理事務所です。ちなみに、候補者もコウホシャ。伝統議会は、血筋で選ばれますから、選挙や候補者はなくて当然ですね。

次はこちら。

土地関係の書類

ショルイ、バショって書いてあるのがわかりますか？書類、場所のこと。ドイツ時代には叶わなかった、土地の接収のための伝統的な土地相続方法の改定、日本がやったのでした。戦後、元の持ち主に戻し、新しく土地を測量、整理するため、アメリカは頑張りましたが、今も解決していない土地問題がたくさんあります。ちなみに、土地問題もトチモンダイ。しかし、モンダイが日本からの外来語って、トラブルは日本から持ち込まれたような気がして、ちょっと悲しいですね。

新年おめでとう？

はい。「新年おめでとう」です。パラオは、新年を祝わなかったのかな。暦が違ったのかもしれません。お正月をにぎにぎしく祝うのは、日本の影響のようです。

と、こんなふうにたくさんの日本語がパラオ語化しています。パラオにいらしたら、テレビ、ラジオ、人々の会話に耳を澄ましてみてください。きっと知ってる単語が聞こえてくるはずです。

（ルルケド薫）

コラム

パラオの戦跡—記憶化の視点から

二〇一九年一一月四日早朝、茨城県のある町で、九八歳の高齢男性が死去した。この男性、永井敬司さんは、一九四七年五月、ペリリュー島から日本に生還した日本兵三四名のうち最後の一人だった。兵士たちが最終的に米国に降伏したのは、帰還の一か月前。現在のペリリュー島はパラオ共和国を構成する一六州の一つに過ぎないが、一九四四年後半には、太平洋の覇権を競う二大国による激戦の舞台となっていた。かつて帝国陸軍の軍曹だった永井さんは、七五年前に島で起きたことを記憶する最後の日本人だった。その意味で、彼の死去により、日本軍によるこの島での防衛戦が、記憶から歴史へと変遷したことになる。

しかし、戦いの歴史が完全に忘れ去られた、ということをこれは意味しない。戦後約七五年を経た今でも、島の至る所に凄まじい日米両軍の軍事衝突の響きが聞こえてきそうだ。パラオのこれらの島々は現在でも、一九四四年に起こった荒々しい支配をめぐる闘争の波が作り出した姿のままである。この波が、パラオ全体を等しく襲ったわけでは必ずしもない。急激に波にのまれた地域もあれば、徐々に苦難の沼へと沈んでいった地域もある。発端は、一九三〇年代後半に日本帝国海軍がその主たる飛行場をペリリュー島に置く決定を下したことに始まる。米軍は、この飛行場に戦略的価値があると見なし、侵略を決め、残虐な会戦と対ゲリラ作戦を通じて、アンガウルとペリリューの両島を日本守備隊から奪取した。米軍に攻略された結果、これらの島はバベルダオブ島（パラオ本島）の現地民が一九四五年の日本降伏まで経験するはめになった絶え間ない空爆や機銃掃射、餓死とは異なる風景を見ることになった。この違いにこそ、パラオにおける戦争に関わる遺産と記憶の地理的な分岐が表象されている。

だがペリリューの戦いこそ、様々な地域社会集団の記憶のなかで、もっとも強烈に依然として横たわるものであることは間違いない。記憶化（memorialization）のプロセスに助けられて、この戦いは、戦後パラオを離れ、日本など遠い地に暮らす人々の心のなかに残り続けている。なかでも現地や遠隔の場所で作られる記念碑は、社会が保持する記憶そのものの表象にとどまらず、過去を想起させ、集団的な記憶を新たに再創造する機能をもつ。言い換えれば、記念碑のような物体や追悼のための公的儀式などを通じて作用する記憶化のプロセスが、太平洋戦争とペリリューの戦いに関して、個人や地域の心理的認識を作り出すのだ。

ペリリュー島に行くと、こうした記念物の重要性がはっきりと体感できる。それを知ることができるのが、パラオの主要な州のひとつコロールから、船で七五分で行ける島への日帰りツアーであろう。もともとこれはパラオ諸島への観光客の大半を占めてきた日本人訪問客向けのツアーであり、中国人観光客らが増えた今でも、引き続き観光の定番となっている。もともと日本人向けの戦跡への旅は、「慰霊団」の訪問事業として実施されてきた。一九六〇年代半ばに始まったこの「慰霊団」の派遣は、日本遺族会等の団体や個人による死者の追悼と遺骨収集を目的とし、やがて訪問者たちが自らの足跡を残すべく、数々の記念碑を建てるようになる。従って、ペリリュー島日帰りツアーには、かつての日本軍による統治に関連する一連の場所、実際の戦場だけでなく、その訪問事業によって後に創出された記念碑への訪問も含まれている。

実際、現地にいくとすぐにわかるのだが、こうした記念物に刻まれた記憶の文言にはかなり矛盾がある。ペリリュー島北西部のゲルオル（Ngalkol/Ngerchol）村の墓地には、様々な団体によって建てられた墓石群があった。「尊い平和のため」にペリリュー島を守ろうと勇敢に戦った人々の慰霊碑もあれば、ペリリューの戦いで日本軍を指揮した中川州男（大日本帝国陸軍）中将の偶像的な記念碑も建てられている。またペリリュー島の南部にある第二次世界大戦記念館には、もう一つの記念物「広島の被爆敷石」が展示されており、「この悲惨な体験を教訓に、日本は二度と他国への侵略はしないと、『平和憲法』を作っています」という説明書きもある。要するに、米軍の「侵略」に抵抗し、現地人をも守り、ひいてはアジア全体の平和を守ろうとしたとされる指揮官を称える記念物と、これと相対する、第二次世界大戦で日本が犯した罪について触れ、二度とそういう悲惨なことがないようにと日本の平和憲法をアピールする記念物が併存するのだ。スティーブン・マーレ

墓地にあるペリリュー戦日本軍を指導した中川大佐の碑文。「正しい歴史認識を世界に発信する」ため、2015 年の天皇皇后両陛下の慰霊直前に建てられたが、米国の侵攻の前にペリリュー島民を避難させることが地元民の命を救うためとする解釈には疑問がある

イが述べているように、記念物の間にみられる矛盾は、この戦いだけでなく、第二次世界大戦全体を記憶する方法についての、日本国内の意見の不一致を反映している。不一致は、日本の公的な戦争記憶を巡って今なお続く争いが、パラオの地に移され、そこで具現化されたことを示している。

記憶化というプロセスは、日本の記念物に関してのみ派生するものではない。パラオには米国の記念物は多くはないが、パラオの戦跡が、一九九四年の米国から独立後もなお米国の「歴史的ランドマーク」の一つであることに変わりはない。もっとも、米軍上陸地点の一つ、オレンジビーチの近くや、米国人に「ブラッディー・ノーズ・リッジ（流血の丘）」として知られるゲッケミイにある記念物などは、近年、作られたようだが。二〇一〇年、米国の大手ケーブルテレビ会社であるエイチビーオー（HBO）の連続ドラマ「太平洋（The Pacific）」にペリリュー島が登場したことで、島への注目が高まり、これら戦跡がペリリュー島の景観を変えていったようだ。

ペリリュー島の南のはずれにある西太平洋戦没者の碑
「西太平洋の諸島及び海域で戦没した人々」向けの
包括的なメッセージが英語とパラオ語で書かれている

追悼という行為が文化的な創造と同時に進行し交差することで、現在の日本とはあまり関係がないと見なされてきた戦いの記憶までが呼び覚まされている。例えば、二〇一五年四月、天皇皇后両陛下（当時）が二日間パラオを訪問したことに着想を得て作られた、武田一義の漫画『ペリリュー――楽園のゲルニカ』と小栗謙一のドキュメンタリー「追憶」をみてほしい。これはペリリューの戦いが、今でも記憶化プロセスのなかにあることを実証している。この二つの作品では、異なるストラテジーが用いられている。武田の漫画が、日本軍の防備隊をめぐる逸話に焦点を置くのに対し、「追憶」は、米国人と現地民の声を通して、日本人の戦いの記憶を解釈している。誰の記憶を取り入れ、記憶のどの部分を強調するかによって、また戦いに関する物語のどれに焦点を当てるのかが、記念碑の様相を決定づける。

米国と日本の記念物の「競合」がゲッケミイルなどでは一目瞭然なのだが、この記憶化のなかで島の現地民の主体性はみられない。理由の一つは、ペリリューの人々が日米間の戦闘が始まる前にバベルダオブ島北部に移住させられたため、彼らにとっての記憶が存在しないからだと思われる。にもかかわらず、戦時下での現地民が記念碑からみえないことは、ペリリュー島の現況に関する新たな疑問を生じさせる。パラオ国立博物館に務める、ペリリュー島出身のモレイ（Olympia Esel Morei）館長は、（日本による）属国化と（米軍による）侵略により、島民たちは島での過去とのつながりが絶たれたと強調する。戦争の傷跡はジャングルの再生によって徐々に緩和されていくかもしれないが、ペリリュー島は、島民たちの記憶を取り戻すことができない。これはもともとの島の景観ではなく、それは戦争に関わる「記憶の景観」としてのみ存在しているからだ。

日本政府が一九八五年三月八日に「西太平洋戦没者の碑」を建立したとき、関係者たちはこの欠落を認識していたのであろう。ペリリュー島南端のパラオ平和記念公園に建てられた記念碑には、パラオの現地語、さらに日本語と英語で記されたメッセージも書かれている。この遺跡は、記憶をそれぞれに「競い合う」ためではなく、全てを包摂するために作られた。記憶を包摂しようとする記念碑は、ペリリュー島では唯一ここだけである。二〇一五年四月九日、天皇皇后両陛下が掲げた花輪、別の戦いが繰り広げられた水平線彼方のアンガウル島に向かって黙礼する両陛下の写真。これらは南太平洋地域における「和解」に向けて日本が尽力してきたことを最も強く印象付けるものだろう。記念碑に訪れる前日、天皇陛下は明言した。「この機会に、この地域で亡くなった日米の死者を追悼するとともに、パラオ国の人々が、厳しい戦禍を体験したにもかかわらず、戦後に、慰霊碑や墓地の清掃、遺骨の収集などに尽力されてきたことに対し、大統領閣下始めパラオ国民に、心から謝意を表したいと思っております」。

ペリリュー島の北部にある日本軍が掘った防空壕入り口にある看板、いわゆる「千人洞窟」Cleared Ground Demining（地雷辞去 NGO）は2009 年から不発弾の撤去作業を始めた

この戦いについて永井敬司さんが保持していた記憶は、戦後七五年を経てもなお赤裸々で生々しい。ペリリュー島でも、戦いはそのまま、現地の景観のなかだけではなく、軍人たちの具体的な記録のなかに残っている。それは終戦後もずっとパラオ全体に散らばる山積みの不発弾のなかに残り続ける。ここ一〇年、英国の慈善団体「地雷除去の会（Cleared Ground Demining）」の主導により、島の不発弾の組織的な調査と撤去のための国際的取り組みがなされてきた。二〇一五年からは「ノルウェー人民の救援（Norsk Folkehjelp/Norwegian People's Aid）」が、またやや遅れて「日本地雷処理を支援する会」がこの取り組みを支援している。二〇一九年四月、ペリリュー州知事は「対人地雷は私たちの州から完全に撤去されたと思われます」と宣言した。戦後七五年を経た今、戦闘そのものがより包摂的なやり方で記憶されるのみならず、ペリリュー島そのものに関する新たな記憶が創出されるときが訪れようとしている。

（エドワード・ボイル）

＊執筆にあたり、ルルケド薫さん、飯高伸五教授、Pia Morei にお世話になりました。

Ⅲ　パラオの家族制度

私がパラオの家族制度に興味を持ったのは、当然の成り行きである。パラオ人と結婚して、その渦中に身を投じたのだから。パラオの大家族に嫁いで以来、私の仕事は「タワシ」。そう、ゴシゴシする、あのブラシのことだ。パラオ語でもタワシ。嫁ぎ先の女性たちの手足となって、汚いところへ身を投じて働くから、パラオの女たちは、嫁のことを「タワシ」と呼ぶ。「アイツはアタシのタワシだから！」などと、雑用を頼んでもいい、という意味でよく使う表現だ。嫁姑、小姑の関係でいうと、上下関係は厳しく、鬼嫁なんて勘当モノのマナー違反だ。しかも、小姑の範囲が、義理の姉妹のみならず、義理の叔母まで含まれるから恐ろしい。こんなことを言うと、私が不遇な嫁なのではないかとご心配をおかけするかもしれないが、実は、それほどでもない。嫁がタワシとして担当する仕事も明確に決まっていて、例えば、日本で多くの嫁を悩ませている義両親の介護などは、その範疇ではない。主に炊事洗濯、家事全般で、日本に比べれば、家族が多いことと、ボタン一つで済む家電が普及していないことが大変といえば大変だが、慣れればそうでもないものだ。驚くべきことに、報酬があることもある。嫁づとめに報酬!? 感謝の言葉さえもないという日本とは大きく違う、タワシの私から見た、パラオの家族制度をご紹介しよう。

母系家族

まず、パラオでいう「家族」の範囲から説明しよう。パラオは母系社会である。母親出自をたどって、血のつながりのある人々が「家族」の基本形。父方より母方を自らの出自とする。人類学、民俗学でいう母系リネージといえば、おわかりいただけるだろうか。成員は、母親を中心に、娘たち息子たち、娘の子供たち（息子の子供は成員ではない）、母親の兄弟姉妹、姉妹の子供たち（兄弟の子供は成員ではない）あたりまで、「家族」としてくくられる。母系社会では、通い婚（夫が妻のもとに通う）や母方住居（入り婿、マスオさん型）も多いが、パラオは父方住居である。つまり、パラオの「家族」は同居していない。同居しているのは、父方の血のつながりのある人々だ。同居の人々を家族と呼ばないのかといわれれば、そういうわけでもないのだが、母方のそれとは名称も違い区別する。そして、同居していない母方の方を「家族」として重んじる。

母系社会だけに、家長は女性かと考えるかもしれない。ところが、家長は男性である。長に立つのは男性だが、実は女性が選ぶ。村のなかには、家族ごとに順位があり、第一位の家族の家長が村の首長となる。伝統的には、村の議会は各家族の家長たちで成っている。昔は、この伝統議会こそが政治だったのかもしれないが、現代では、大統領、議会（上院と下院）議員は選挙で選ばれる（もちろん女性議員もいる）。しかし、この伝統議会もなくなったわけではなく、現在の二院制議会は伝統議会の意見も聞かなければならない。さらに、二院制議会の方に選ばれた場合には、伝統議会の長老の称号を返上なければならず、兼任できないようになっている。

パラオだけでなく、ミクロネシアに母系社会が多いのは、島々を移動する民族の理にかなっていると思われる。父親が誰であれ、母子の関係は出産を通じて自明である。出産に立ち会うのは、たいてい妊婦の身近な女性で、男性であることはまずない。出産に立ち会う人が母子関係の証人であり、それが妊婦の身近な女性であるからこそ、ＤＮＡ鑑定などない時代の父子関係より、母子関係重視の母系社会なのではないだろうか。男性にしても、長いこと航海に出て、寄る島々に現地妻があったり子があったり、だからといって、その子を後継ぎとして連れて帰るわけにもいかず、戻らぬことも少なくなかった。だから、土地を守るのも、後継ぎを見定めるのも女性なのだ。

では、なぜ父方居住なのか。夫が長く不在なら、母方居住の方がよさそうだが、パラオは父方居住だ。母系社会の父方居住は、母系社会が多いミクロネシアにあっても珍しい。男性の経済的自立や人口増加を理由に、もともと母方居住だったものが変化し、父系社会への過程であるとする研究もあるが、パラオにおいては、古くから独自の貨幣経済が発達しており、嫁づとめに報酬が発生することもある事実から、結婚、つまり夫の家で嫁づとめをすることが契約のような形で一族が収入を得るシステムから、父系居住なのではないかと私は考えている。この事例を、次に詳しく述べるとしよう。

冠婚葬祭と貨幣経済

私は、パラオ人の夫との間に三人の娘がいるが、女の子ばかりなので、日本の家族からは、もう三人もいるにもかかわらず、「もう一人（男子をもうけるまで）頑張って」とよく言われたものだ。父系社会の日本では、男子が後継ぎであり、一昔前なら、私は石女と呼ばれたことだろう。ところが母系社会のパラオでは、女子が後継ぎ、女の子ばかり多いのは「ラッキーだね！」と言われる。何が幸運なのかというと、女性は結婚すると、嫁ぎ先から実家へ、ことあるごとにお金が支払われるのだ。婚約、結婚のとき、子供を産んだとき、家を建てたとき、離婚や死別したときなどである。女の子が多い＝そういう収入が多い、男の子がいない＝そういう出費がない、ということで幸運なのだという。女性の母方家族は、そのお金で嫁ぎ先の一族をもてなす宴会を主催する。嫁ぎ先がお金持ちだと宴会も派手になる。食事を準備したりする宴会の労働力は、主役女性の母方家族の女性成員と、男性成員の嫁である。女性成員たちは、自分の嫁ぎ先のタワシの仕事もあるので、主な労働力は男性成員の嫁たちとなる。実は、タワシの仕事のメインは、この宴会準備であると行っても過言ではない。予算によっては、ここで報酬が発生する。男は財力で結婚相手の実家に貢献し、女はタワシとなって労働力で嫁ぎ先に貢献するのがパラオ流というわけだ。

このような冠婚葬祭を、パラオではシューカンという。日本語の「習慣」が語源。このシューカン、パラオ人が、大変だ！と愚痴る割には、なくなるどころか、現代的なものに変わりながら、今もなお続いているのは、これによってお金が動くからだ。パラオには、伝統的な貨幣がある。男性財とされるウドウド（マネービーズ）と、女性財とされるトルック（べっ甲の皿）である。この貨幣は、アメリカドルの現金と併用して、現在も、主にシューカンで使われている。

現在では、結婚式は、キリスト教の影響で、伝統的なものをする人は少なくなったが、ベビーシャワー（初子のお披露目の儀式）と葬式は、今も盛大に行われる。現在でも、シューカンのマネジメントから資金調達、財務に至るまで、それぞれの「家族」のしきたりに応じながら采配をふるのは、年長者を中心とした女性たちである。

マネービーズのネックレス

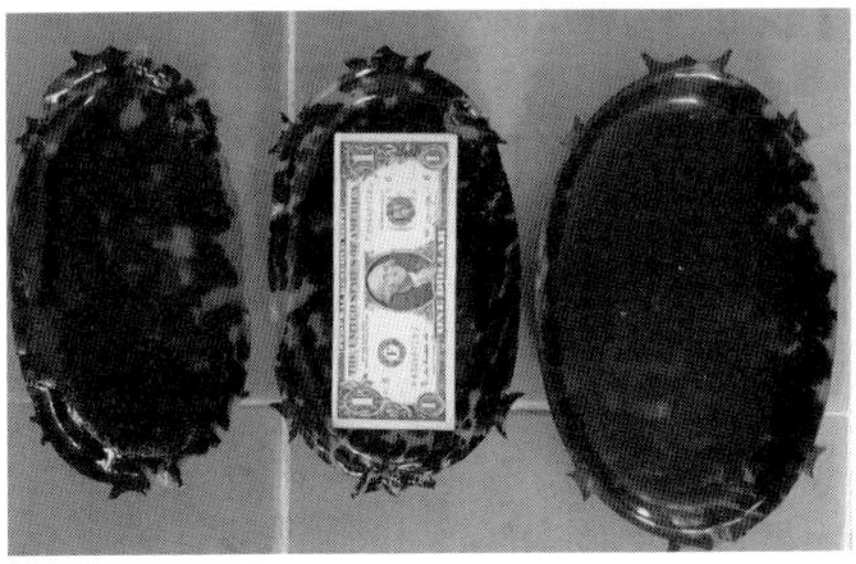

べっ甲の皿

ベビーシャワーとは

子供を出産した後、だいたい一〇〇日頃、薬草を煮た湯の蒸気浴で、母体の回復を促す療治をする。蒸し風呂に入るのは四日間で、その間蒸気浴しながら、肌には、ココナツ油にウコンを混ぜたオイルを塗り、ときどき熱々の湯を掛け湯する。この薬湯のレシピは、各「家族」に代々伝わるものだが、現在ではすたれてしまって、薬湯を作れる女性がいない家族も多い。そんなときは、他の家族の薬湯マスターに依頼する。この謝礼金にトルック（べっ甲の皿）を使う。もちろん現金で支払ってもよい。二〇〇〜五〇〇ドルと聞いたことがある。もちろん、この費用は、赤ちゃんの父親サイドの負担、薬湯（できない場合は外注を手配）を実施するの母親サイドの女性たちだ。

この四日間の薬湯の後、初めての子供の場合、薬湯を出た直後に着飾り、赤ちゃんとともにお披露目される。

母親　介添えの女性と舞台へ出てくる

宴会の様子　パラオ政府観光局提供

秘伝の薬湯

塗りこめられたウコン油で黄金色になった女性が、伝統衣装で着飾って、しずしずと出てくる様子は美しい。舞台に出ると、参列者は一ドル札を持って踊りながら、お金を渡す。主役の近くで踊れるのは女性だけ。男性は、少し離れたところで踊る。一昔前は、一ドル札を主役の体に貼り付ける習わしだったが、お札がウコン油で黄色くなって、ATMで使えないというので、現代では、隣にいる袋を持った叔母さんに渡す。この披露宴も男性側の負担。薬湯、披露宴を負担することが、子供を認知したことになる。基本的には、女性にとって初産のときのみだが、第二子以降でも母体回復のため薬湯だけやったり、子の認知と関わっていることから、再婚など別の家族の男性の子供を生んだ場合は再度やることもある。相手の男性家族の懐次第なのだ。出産から本拠地へ帰り、この儀式まで夫の家（父方居住）へ帰らないのが通例で、禁忌の食べ物、行動などが決められている。パラオの嫁づとめには、産休（みていると逆に大変そうだが）もあるわけだ。伝統を嫌う若い世代も、伝統に疎い海外在住者も、これだけはやる人が多い。伝統的な正装の若者たちとおめでたいムードといい、なんとなく日本の成人式を思わせる。

パラオの葬送とは

パラオの葬送は、大きなお金が動き、経済への影響まである無視できないシューカンである。日本では、故人の配偶者や子供が喪主となることが多いが、パラオでは喪主は家族の女性長老。配偶者は、完全に蚊帳の外、埋葬の方法や場所、故人の遺言などについて意見も言えない。死後同じ墓には入ることもない。遺産相続においても配偶者には相続権がない。遺産は、母から、その兄弟姉妹、子へ受け継がれる。

一般的な葬送では、人が亡くなると、まずご遺体を霊安室で冷凍保存する。後日、母方家族の女性長老を中心に葬儀の日時を決める。多くの香典を期待するので、給料日後の週末が多い。次に葬儀の場所、埋葬の場所を決める。本拠地が基本だが、遠方の場合は、住んでいたところと本拠地と二本立てでやることもある。埋葬地も本拠地である場合がほとんど。費用は、母方家族の女性たち（女性でも配偶者は含まれない）と香典で負担する。香典は、日本と同じように、友人、知人、いろいろなところから少しずつ包まれる。女性の場合トルック（べっ甲の皿）で払ってもよいが、ウドウド（マネービーズ）は香典として使わない。

葬儀当日は、参列者は、主催者（母方家族）に香典を預け席につく。主催者は、誰がいくら包んだのか詳細に記録を取っておく。この記録は、葬儀における貢献度として参考にしたり、香典を包んだ今回の参列者が、いつか主催者になったときに、次は香典をどのくらい包むか（同等か多めにする）の目安として見直したりする。

香典受付デスク手前に札束が見える
すぐに開封して数える

　参列者の席は、血縁とそうでない人、男性女性で場所が異なる場合もある。参列者の席とは別の部屋に棺が置かれており、棺を囲むように六人の女性（故人の妻や血縁者以外でもOKだが、男性は不可）が座り、その席は空けないよう（席を立つときは別の女性を座らせる）する。男性は、その部屋にも入れない。

男子禁制の棺の部屋

　その間、会食（弁当が配られる）があり、参列者が順に、棺のなかの故人に会いに行く。そのときは男性も部屋のなかに入ってもよい。最後の人が済むと、棺を閉じて、男性たちに担がれて出棺し、本拠地の墓地に埋葬する。実は、埋葬した後も終わりではない。埋葬後、墓地から戻った女性たちは、そのまま棺の置いてあった部屋に泊まる。最低でも一晩、正式には四日間泊まる。村の集会所などを借りて葬儀をした場合は、その場でやることもあれば、誰かの家に場所を移すこともある。これをシスラウルというのだが、伝統的には、シスという葉で死因を占う儀式であり、もちろん現代では占うことはないが、その名残のようだ。現代では、仕事がある人も多いので、たいてい一晩のみで終了、少数のおばあさんたちだけが、四日間寝泊りする。

　伝統的には、シスラウルの後、女性たちは、田んぼのようなタロイモ畑に入って手足を泥で洗って、葬儀が終了する。現代ではタロイモ畑がない場合も多いので、ここも省略されている。

　葬儀の後、配偶者は謝礼金をもらって本拠地へ帰る。この謝礼金とは、これまで一族に尽くしてきた代償として、現金やウドウド（マネービーズ）で支払われる。これで「結婚契約満了」である。

　ご遺体の冷凍保存でご想像の通り、亡くなってから葬儀までがやたらと長い。三週間くらいあることもある。伝統的には数日で終わったと思われ

シスの葉　料理を包むとよい香りがする
伝統的なスカートにも使う

るが、なぜ長引くことになったのか。時代が変わり簡素化してくる伝統儀式が多いなか、パラオの葬送は、ご遺体の冷凍という新時代の技術を取り入れて、伝統より長く大きくなっているのは興味深い。その理由は、香典が葬儀費用の大部分を担うため、給料日を待ったり、海外からの参列者（香典持参）を待っているからである。

　では、その財務を説明しよう。まずは収入。故人の母方の家族の女性たちは、関係性（近い人は多め）や社会的地位（儲かっている人は多め）に応じて、葬儀費用を負担する。三〇〇〇～五〇〇〇ドルくらいという。月収九〇〇ドル程度のパラオで、この負担額は相当なものだ。ローンを組んでまで、これを負担する。それから香典。故人が社会的地位のあった人や、交友関係の広い人、人徳のあった人、その配偶者だと集まりやすい。クニヲ・ナカムラ元大統領の奥様の葬儀の香典は三〇万ドル以上であった。

ウェブニュースの記事　記録的な額というニュース
香典には２つの種類があって、葬儀そのものの費用負担として支払うものと、遺された家族への弔意で包むものがある。後者はバデクといって、香典帳には載らないが、渡したい本人に直接渡す。友人知人はこれが多い。前者は、葬儀のスポンサーになるので、参列者が多い大きな葬儀は特に、宣伝を期待する企業や選挙候補者に好まれる。主催者も心得ていて、会場で「〇〇様〇〇ドルいただきました」などとアナウンスすることもある

　では支出はどうか。棺や納棺に関わるもの、ご遺体冷凍代、出棺や移動の車やボート、亡くなるまで入院していたら入院費、葬儀会場、食事に払うもの、故人の借金なども、葬儀費用支出に含まれる。残ったお金は、配偶者への謝礼金、子供たち、母方家族で分ける。ローンを組んで出資した人も、ここで一部回収できるが、全額とはいかない。葬儀が済んで、シスラウルが終わるころには、すべての財務が終了する。

　最近では、葬儀屋やレストランのケータリングを頼んだりすることも多いが、主な労働力は嫁たち、タワシである。葬儀当日の食事のみならず、亡くなってから葬儀までの間、配偶者や子供、特に住んでいた家には、多くの弔問客が訪れる。そのたびに食事を共にするので、その家の嫁たちが支度をする。海外や遠方から参列に来た宿泊客もいたりする。シスラウルの四日間の食事も、嫁たちの担当だ。材料費は主催者持ち。パラオの大手スーパーは、葬儀専用のツケ払いがある。例えば、一〇〇〇ドルプランなら、上限一〇〇〇ドルまでサインで買い物できる。クレジットの代金は、葬儀費用として計上し、葬儀後スーパーに支払う。スーパーも、葬儀収入から最初に支払ってもらえる経費であることを知っているので、葬儀後まで待ってくれる。葬儀当日の食事は、一〇〇～三〇〇人分の朝食と昼食を用意する。材料は母方家族の男性も女性も割り当てがあることもある。嫁には労働の割り振りがある。外国人の嫁は、たいてい割り当てもないことも多いが、私が経験した限りでは、日本人の私にも作れそうな、おにぎりやいなり寿司であったり、「オレンジを〇個六つに切って」などと細かい指定があったりして驚いた。こうした嫁の労働には、葬儀後、主にトルック（べっ甲の皿）で報酬が支払われる。大きな葬儀の場合、

実際に割り当てられた負担よりも、支払われる額が多かったり、嫁に払われる報酬も現金だったりで、意外に儲かることもある。また、タワシとしての仕事は、自分一人でこなすより、母系家族内の女性（姉妹、姪など）や兄弟の嫁に手伝ってもらうことが多い。当然、この手伝いにも報酬は分配される。特に、職についていない人ほど貢献度が大きい。「表」の経済では無職だが、パラオの葬送では M V Pという人が結構いる。これが、パラオの葬送が、シューカンしながら続いている理由ではないかと思われる。香典を含む葬儀の収入のうち、配偶者への謝礼金、遺族への配当、労働分として嫁に支払われる報酬などは、香典の記録、葬儀当日における働き、普段の態度などを鑑みて、母方家族の女性たちが決める。もちろん、もめにもめる。もめ事仲裁を含め、こういった葬送における采配や財務全般は、喪主（母方家族女性長老）の責任で、ちょっとした事業のマネジメント並みの力量を要する。そして、それをこなしてしまう女性も多いのだ。

土地と相続

「遺言は長女に預けよ」がパラオである。そう、配偶者には相続権がない。それどころか、葬儀や遺産の分配に意見を言うこともはばかられる。遺産は、借金を含め、母方家族の女性長老のもと、故人の兄弟姉妹、子供たちに分配されたり、処分されたりする。配偶者は、女性であれ男性であれ、その家族の人ではないので蚊帳の外、長男は、たとえ長老であっても、葬儀後の遺産分配会議には参加すらできない。だから「遺言は長女に」なのである。

女性なら誰でも、自分の母方家族の相続人であり、夫が亡くなったら実家に戻る。嫁は他家からの貰いものではなく「預かりもの」、夫の家族の財産には相続権がない。年老いた大富豪に、死後の財産目当てで嫁入りする話は、パラオではピンとこない。男性も、自分の母方家族の相続人であり、妻の財産は相続しないし、妻の家族に意見するのも好まれない。有力者の娘を娶って権力を得るという話も、パラオではピンとこないだろう。そう考えると、結婚を通じて、土地を奪おうとか支配しようとかいう邪な外国勢力から、パラオを守る制度なのかもしれない。古来より、さまざまな思惑をもって、他島から人々が往来する小さな島には、理にかなっていると思われる。

土地に関しては、そもそも個人所有ではなく母方家族の所有で、筆頭者の男性長老が管理者となる。ただし、男性は、土地の管理者で所有者になれないのかと言われれば、そんなことはない。男性の賞罰や、結婚契約解消（死別や離婚）の謝礼金や慰謝料に、通常はウドウド（マネービーズ）が用いられるが、土地で取引されることがある。その場合、土地の名義は、贈与を受ける男性個人ではなく、彼を筆頭とする集団（父方家族）となり、父から子供へ相続できる。私の知る事例では、父親の死後、母親とともに本拠地へ帰るはずのところ、その土地に住む人がいなくなってしまうため、もう成人していた長男が、家長の称号とともに、住んでいる土地の贈与を受けたケースがある。家長の称号まで襲名した、このケースは大変珍しい。家長の称号は母方家族から受け継ぐものなので、父方家族から土地の贈与はあっても、称号の襲名はないのが普通である。父から土地を受け継ぎ、父の母方家族の本拠地に住むとなると、地位だけでなく、特権や儀礼への参加において、母方家族の本家筋とは区別されることが多い。「分家」として、本家筋とは異なる相続方法で、父から子、養子など血縁関係のない者にも相続権がある。この相続方法の多様性が、皆で土地を利用してきた時代から、不動産として利益を得る現代になり、パラオの土地問題を複雑化している。ホテルでも建設しようという海外の投資家が、管理者でしかないはずの男性個人に、土地の売却を持ちかけ、売上が管理者のみに支払われた場合、他の権利者（兄弟など）が、売上の分配の要求や、相談がなかったなど売却自体を不服として、裁判を起こすことがよくある。パラオの土地問題は、ドイツや日本統治時代の、地元の習慣を無視した土地政策の遺産もあって、ますます迷宮化している。

父系的相続と氏

パラオは、夫婦別姓である。そもそも姓がなく、姓として名乗るのは、父親の名である。例えば、夫の叔父アレン・ルルケドは、アレンが名、ルルケドが姓だが、ルルケドは彼の父親の名である。父親はルルケド・イエアド、子供はコビー・アレン。奥さんはメダリワル・エルブエルで、同様にエルブエルは彼女の父親の名。これは、名前によって父系的相続を表している。ただ、父系的相続は、本家筋（母方家族）からの評価でもあることから、誰もが子に引き継げる財産を持っているわけではないので、分家として認められた男性を祖とする血縁者が、一員であり土地の相続権がある証として、祖である男性の名を姓として使うことが多い。前例の家族は、アレンが、家を持っているので、子はアレン姓となっているのだが、ルルケド・イエアドを祖とする我が家では、夫も、その父も、うちの子供もルルケド姓である。そしてまた、夫婦別姓も当然である。妻の方は、自分の父方の相続人でもあると同時に、夫の財産には相続権がないのだから。日本の「籍を入れる」感覚から、私は夫の姓を名乗っているのだが、ルルケドを祖とする分家の財産を狙っていると思われて、よしとしない親戚もいる。この父系的相続は、厳密に血統をたどる母系的相続と違って、養子や嫁や婿、居候など血縁でない人も、貢献度によっては相続権があるからだ。しかしながら、世界的にみれば、同じ姓＝家族が一般的で、特にアメリカの入国審査では、別姓の子供を連れていると、誘拐や人身売買の疑いをかけられることもあるとかで、海外へよく行く人や外国人と結婚した人は、夫姓を名乗ったり、旧姓（自分の父親の名）と夫姓をハイフンでつなげる女性もいる。

パラオの女性は、母方家族から代々引き継がれてきた財産と、父方家族の出来高に応じた財産を相続する。男性は、父方の財産と、自分の頑張りで母方から手にできる財産があるというわけだ。ただ、現代では、男性も女性も、ドルで購入した土地を、子供に継がせることも一般的である。

これまで述べたように、パラオは、政治においても、経済においても、民主主義や資本主義の現代的な社会と、家族制度を軸とした伝統的な社会の二層構造と言える。パラオは、主たる産業も外国資本任せで、決して活発な経済とはいえない。だが一方では、三〇万ドルを超えるお金が一日に集まり、独自の方法で分配されているのだ。伝統的な財貨が、今も価値を失わずに取り引きされているのも面白い。パラオの女性たちからすれば、女系家族の成員としての責任と、タワシとしての役割の両面があり、それがキャッシュフローを起こしているのも興味深い。「表」の社会では弱者（無職、高齢者など）でも、報酬を得たり、政治的な意見を言えるチャンスがある。土地の相続においても、ドルで購入したものばかりでなく、代々受け継がれていた土地の利用権があれば、ホームレスにはなりにくい。欧米式の男性を中心とした社会制度と、女性を中心とした伝統的な家族制度の二重構造は、社会保障として機能していると言える。

（ルルケド薫）

コラム

日本統治期の法制度の名残り

パラオ共和国は、一九九四年一〇月一日に独立したまだ若い国である。人口は一万七九〇七人（二〇一八年世界銀行調べ）で、世界で最も小さい国々の一つに数えられる。ちなみにグアムの人口は、約一六万人である（二〇一〇年国勢調査）。

現在のパラオの領土は、一九一四年、第一次世界大戦で日本がドイツ領ミクロネシアを占領した地域の西部にあたる。日本は、「南洋群島」として、当初、軍政を布いた。一九二〇年国際連盟が日本に委任統治を認め、一九二二年にコロールに南洋庁の本庁と西部支庁を設置したことにより、一九四四年の現地敗戦まで三〇年にわたり統治した歴史を持つ。

この間、日本式の法制度で統治したので、パラオには、今も日本時代の制度の名残りがあちこちにある。筆者は、二〇〇七年、在パラオ日本大使館で催された日本法の法律相談会に参加して以来、パラオの司法・行政関係者とご縁をいただくこととなったので、

法令集第一巻

コラムで紹介する。

日本統治の名残りが顕著なのは、一部の州憲法だろう。パラオ語で、憲法はKempoと言う。アンガウル州憲法は第一二条（Ａ）で公用語の一つに日本語を定めている。

Constitution of the State of Angaur
Article 12　General Provision
(A)　Official Language
Section 1. The traditional Palauan language, particularly the dialect spoken by the people of Angaur State, shall be the language of the State of Angaur. Palauan, English and Japanese shall be the official languages.

日本語を公用語とする規定は、日本国憲法にもない。そこで憲法制定会議のメンバーやこれに立ち会った関係者にインタビューをした。

法律顧問を務めたカルロス・ヒロシ・サリー（Carlos Hiroshi Salii）弁護士（故人）は、「アンガウルでは、日本語で権利主張できるよ」と言い、制定会議議員に選挙されたビクトリオ・エルベラウ（Victorio Ucherbelau）弁護士（故人）は、「Hutzu（普通）に話してるし、Sengkyoで投票用紙に日本語で書く権利を明らかにしたかった」と説明していた。

アンガウル州にあるアンガウル島は、戦後の一〇年間をRingko Era（燐鉱時代）と言い、ＰＭＣ（燐鉱開発株式会社）が設立され、

日本人採掘労働者が五〇〇人規模で働いた。彼らの食糧調達のため、小笠原島から欧米系島民が漁労を行い、GHQの命令で島の治安維持のため、日本から警察隊が派遣されたという。

パラオ最北部カヤンゲル州憲法の正本には、憲法制定会議議員が日本語で署名している。ちなみにカヤンゲル州の歌は、「Chomoide（思い出）」という日本語の歌詞を持つ（パラオ語では「Kayangel a tara ungil beluu.」という曲名）。ちなみに、このような歌詞だ。

Omoeba, natsukasi era Monday night Jyuu ni Jyuugo senkyu hyaku go jyuu ni nen（おもえばなつかしera マンデーナイト、12.15.1952年）

さてパラオ社会において、土地をめぐる問題は終戦後から引き続き深刻な課題として残っている。パラオの司法制度では、土地問題を集中的に審理するホーイン（Land Court）が設置されている（裁判所はしばしば南洋庁が設置していた「ホーイン（法院）」と呼ばれる）。パラオの土地の権利関係に関わる調査研究については、日本が統治を始めた当初、南洋庁判事が事実関係を取調べた結果を南洋群島旧慣調査報告書にまとめて以来、いくつかの成果が残っている。なかでも、飯高伸五「パラオ共和国の土地台帳」が参考になる。

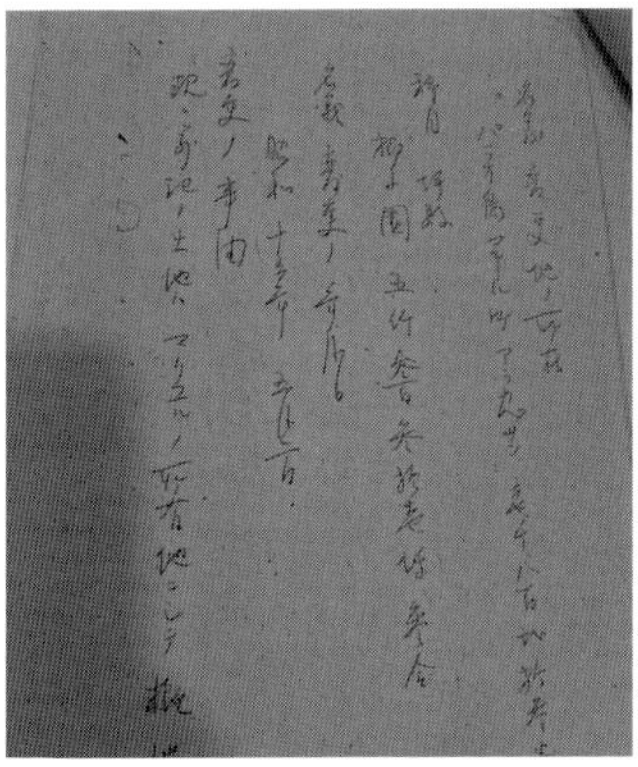
民有地名簿変更願（コロール五丁目）

筆者に寄せられた主な相談を紹介してみよう。

1　**自分の所有する（利害関係のある）土地の面積は何 tsubo（坪）だが、これは何平方メートルか？**（筆者の返答は、「100tsuboは、約三三三平方メートルだよ、日本独特の単位だよ、わかった？」などと気楽なものだった。）

2　**TD(Tochi Daicho; 土地台帳）の記載内容と実際の土地に食い違いが起きている。原因は何か？**（土地売買にかかる書類や航空写真などをみて、あれ?! これ小笠原の土地問題とよく似てるじゃないかと思うようになった。）

日本における土地台帳の制度、これは戦前、税務当局が課税の根拠として全国各地で測量整備を行ってきたものだ。これは戦後、不動産登記簿として今日に至る。要するに、日本の役人は、パラオなど南洋群島でも同様の測量成果をファイルして整備した。これが現在もパラオ国内においてTochi Daichoとして利用されている。

つまり、パラオの土地問題とは、戦前の土地台帳が今日まで引き継がれたために、実際の土地の形状と台帳の記録との間で齟齬が生じているということである。いわゆる、不動産取引を行う業者や土地の測量登記に関わる人たちが言う「縄伸び（実測した土地の面積が、登記簿に記載されたものより大きいこと）」、「縄縮み（同小さいこと）」だ。

縄縮みや縄伸びは、主に地方の農地や山林で起こりやすい。理由は登記簿の面積が、測量技術の未熟な明治初期のものが多いからだという。税負担軽減のため（縄伸び）、売買代金の嵩上げ（縄縮み）なども理由となるそうだ。

ところでパラオでは、現在も土地取引でTsubo（坪）取引を行っている。そもそも一九四五年に日本がポツダム宣言を受諾し、サンフランシスコ平和条約により、日本の南洋統治に関する根拠は失われているはずである。だが、ここでは現在も土地台帳や戦前の取引の記録が大切に取り払われ、公的にも取引のお墨付きを与えられている。振り返れば、日本の国内では、奄美群島や沖縄県が米軍支配下に置かれたとき、ニミッツ布告により日本の主権が停止されていた。そう考えると、第一次世界大戦の戦勝国として日本が占領した旧南洋群島の一地域たるパラオを、連合国軍としては、日本の支配から徹底的に解放しようとしたことは容易に想像できる。

実際、国際連合太平洋諸島信託統治領の法令集第一巻の冒頭、第一章（2）で日本による旧南洋群島委任統治領を信託統治する件として、この解決を図っており（第一条）、第二条で米国が権限を行使すると規定する。そうであるからパラオを含む太平洋信託統治領では、米国法による支配が行われることとなり、裁判所が置かれた。

信託統治領裁判所の判例集(Trust Territory Reporter)によれば、最も古い判例は一九五一年一月三一日ポナペ地方裁判所で言い渡された判決である。そこで訴訟当事者がパラオ人と思われる事件を一つずつ確認してみた。

ADELBELUU対TUCHERMEL事件（一九六九年高裁パラオ支部判決、4-TTR-410）

ADELBELUUを控訴人、TUCHERMELを被控訴人とする土地の相続を巡る事件の控訴審判決が、信託統治領高等裁判所パラオ支部で一九六九年八月一三日に言い渡されている。

この事件で裁判の対象となった土地（今の飛行場の近く、アイライ州に所在する）について、土地台帳に記載された内容や測量成果は、戦災により失われているが、被控訴人の所有する一九四一年一二月一八日付の土地台帳から作成された写しは、一九三八年から一九四一年までの間に作成された測量成果と土地台帳がオリジナルであり、その当時以来、その内容について、具体的な争いがないと認定し、土地の相続について、次のように判断している例がある。

戦前から引き継がれた土地台帳附属地図

Those parcels of the land, Ngersung, located in A Village, Airai Municipality, Palau District, formerly listed in the Japanese Tochi Daicho land records as:

Lot No. 177, comprising 1, 763 tsubo

Lot No. 176, comprising 662 tsubo
Lot No. 992, comprising 1, 443 tsubo
Lot No. 990, comprising 262 tsubo.
be and the same are hereby declared to be the property of the X Lineage, of which plaintiff, Y, Adelbeluu, and his sister, Z, are the representatives, and are hereby declared to be the administrators of said four parcels of land.

パラオは、一九九四年一〇月一日付で、パラオ共和国として独立、一九九四年一二月に国連加盟を果たした。人口二万人弱の極小国で、自国の軍隊を持たず、自国のEEZ内に軍用民生用を問わず、核物質を持ち込ませないなど、ユニークな政策を実施している。

独立にあたり、土地台帳と附属地図は、そのまま引き継がれ、坪取引もそのまま残っている。しかし、先ほど紹介した判例のように、戦前の土地台帳や附属地図が戦災を免れ、現存している地域は少なく、パラオにおいて土地取引でトラブルとなるケースが未だに多発している。土地の利害関係人が保持する古い記録の写しの内容が不正確であったり、土地の測量成果が不正確なため縄伸びしたり縄縮みする場合、古い日本語の記録が読めるパラオ人が少なくなっているなど、様々な事情がある。

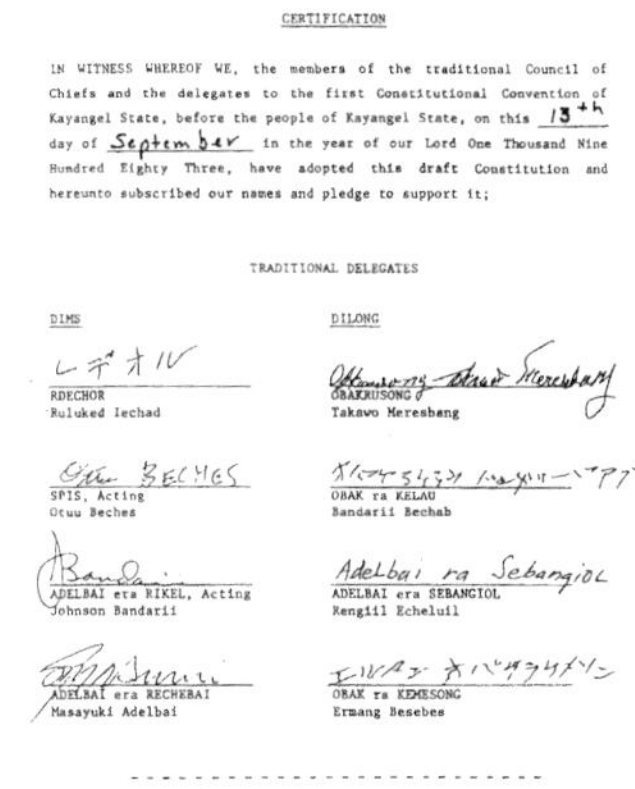
CERTIFICATION

IN WITNESS WHEREOF WE, the members of the traditional Council of Chiefs and the delegates to the first Constitutional Convention of Kayangel State, before the people of Kayangel State, on this 13th day of September in the year of our Lord One Thousand Nine Hundred Eighty Three, have adopted this draft Constitution and hereunto subscribed our names and pledge to support it;

TRADITIONAL DELEGATES

DIMS	DILONG
レデオル RDECHOR Ruluked Iechad	OBAKRUSONG Takawo Meresbang
SPIS, Acting Otuu Beches	OBAK ra KELAU Bandarii Bechab
ADELBAI era RIKEL, Acting Johnson Bandarii	Adelbai ra Sebangiol ADELBAI era SEBANGIOL Rengiil Echeluil
ADELBAI era RECHEBAI Masayuki Adelbai	OBAK ra KEMESONG Ermang Besebes

日本語の署名もあるカヤンゲル州憲法正本
（ルデオル氏はルルケド薫氏の義理の祖父）

現在は、土地裁判所が設置され、土地問題の解決にあたっているが、裁判では、パラオ語を使うことが原則とされ、古い日本語の記録で記された記録をパラオ語に翻訳した上で、弁論することについても課題が残されているといえよう。

（山上博信）

コラム

パラオの領海警備

パラオ共和国は、日本から直線距離にして約三二〇〇キロ南の太平洋に浮かぶ島国である。ダイバーであれば一度は潜ってみたいと考える、世界でも有数の美しい海がそこにある。日本人ダイバーのパラオ人気は非常に高く、モルディブ・紅海と並んで常にトップ3を構成している。

日本からの直行便が二〇一八年以降運航休止となり、パラオへの観光客自体は減少しているが、パラオの海に対する憧れは衰えていないように思われる。

パラオ海上法令執行庁のある建物

みる者を魅了してやまない、その蒼く澄んだ海こそがパラオの宝であり、世界の宝と言っても過言ではないであろう。

パラオが世界に誇る、その美しい海を守っているパラオ共和国及び州の海上警察機関とパラオの抱える海をめぐる問題について紹介しよう。

パラオでは、パラオ海上法令執行庁が中央政府の海上警察機関である。その他、各州には密漁取締官が存在する。なお、筆者の訪れたカヤンゲル州の密漁取締官は人員七名で、小型の巡視艇が三隻であった。訪問当時は、一隻が故障のため修理中で、一隻は燃料補給のためカヤンゲルを離れており、出航できるのは一隻のみであった。

ところで、パラオのEEZ（排他的経済水域）の広さは、約六三万平方キロメートルである。その海を守る海上警察官の数はなんとたったの四〇名ほどである。巡視船の数は中型二隻、小型三隻に過ぎない。中型の二隻はオーストラリアと日本からの供与、小型三隻は日本からの供与であるが、中型の巡視船のうちの一隻は二〇一八年に新たに日本財団から供与されたものである。その巡視船は、四〇メートル級、総トン数二五七トン、最高速度二五ノット、船名はケダム（KEDAM）である。それに伴い日本の海上保安官が操船技術指導、海上取締訓練のため派遣されており、二カ月に一度のペースでケダムによるしょう戒訓練を実施している。また、日本財団・笹川平和財団から二〇一七年からの一〇年間で七〇億円の援助が行われており、そのなかには海上法令執行庁庁舎・（巡視船艇のための）桟橋建設費、巡視船（建造費約一六億円）、巡視船燃料費（年間一四〇〇時間分）、職員給

オーストラリアから供与された中型巡視船

与等が含まれている。なお、二〇二〇年には、オーストラリアからの新たな巡視船が就役予定とのことであった。

我が国の場合はといえば、日本のEEZの広さは約四四七万平方キロメートルであり、その水域を約一万四千人の海上保安官が守っている。石垣海上保安部だけをとってみても、海上保安官六二一名（陸員三七名、船員五八四名）、巡視船艇一七隻（うち大型巡視船一三隻）、さらに石垣航空基地もある。

日本から供与された中型巡視船

パラオは人口一万八千人足らず（二〇一八年、世界銀行）の国であり、軍隊もなく、日本とは比べるべくもないが、とはいえ国の宝ともいうべき海を守るには余りにも人手不足である。いや、最早人手不足という次元ではない。（個人的は、全く不可能であると言わざるを得ない……）現在のパラオにとっての海をめぐる問題は、フィリピン・インドネシアとのEEZの境界線問題である。フィリピンとは中間線で解決できると予想されているが、インドネシアは境界線について人口比を基準として決定することを主張しており、この主張はパラオとしては到底受け入れ難いものであると思われる。そもそも、パラオ政府は、二〇一五年にEEZの約八〇%の範囲に海洋保護区を設定しその海域を禁漁としており、それ以外の二〇%の海域において国内漁業のみが許されている。ちなみに、現在日本には漁業協定（台湾とは漁業取り決め）として、日中（東シナ海）、日韓（二〇一七年七月一日以降双方のEEZ内の操業禁止）、日台（北緯二七度以南宮古八重山諸島北方海域）などが存在しているが、パラオとフィリピン・インドネシアとはそのような形での解決は想定されていないようである。

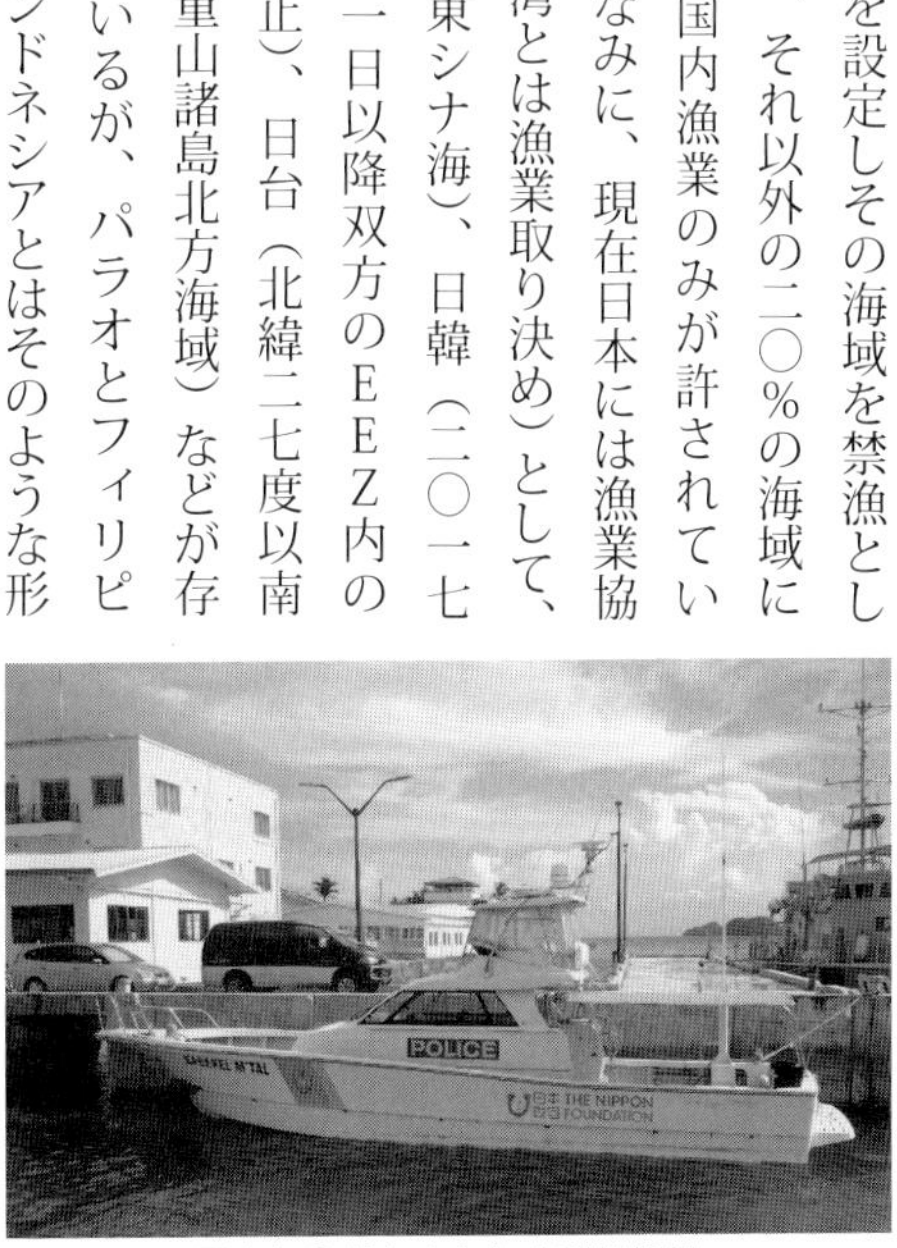

日本から供与された小型巡視船

幸いなことに、現在、隣国とのいわゆる国境・領土問題が存在しているわけではなく、また将来的にそのような問題に発展しそうな懸念はないとのことであるが、パラオにとって悩ましいことの一つは、外国漁船による密漁である。密漁外国漁船の船籍は、中国、フィリピン、ベトナム、インドネシアといった国々であり、残念なことに、僅かではあるが、日本の漁船もあるらしい。海上法令執行庁によると、特にフィリピン漁船による密漁が最大の問題であるとのこと。

その他、近年では、EEZにおける中国の海洋調査船の無許可調査活動が増加しており、中国の海洋進出はパラオ海域へも及んでいるのか、それともパラオが台湾と国交を結んでいることに対する影響であろうか。

我が国先島諸島における領海警備は現在中国に対するもののみといえるが、パラオにおいては、中国の海洋進出の懸念はあるが、我が国におけるような深刻さは認識されていないように思われる。他方で、中国の海洋進出への対策も今後必要であるということも認識されているようである。

パラオ海上法令執行庁（DMLE）においては、EEZにおける密漁取締が喫緊の課題であるとともに、海洋環境の保護という側面からの排他的経済水域の保護と海難に対する捜索・救助が重要な活動と認識されている。もっとも、それらの重要課題に適切な対応を行うためには、取締船舶としての巡視船の増設・増強と同時に、海上警察官の育成・増員も早急に行われるべきであろう。

（檀上弘文）

巡視船ケダムのブリッジで説明をしてくれる
DMLE 局長代理トーマス・トゥッティ氏

Ⅳ　おわりに―パラオ・ボーダーツーリズムへの誘い

皆さん、本書はいかがでしたか。

まだ行ったことがないからわからない？―そんな方はぜひこの本を手に旅してください。日本から定期便で行く場合は、グアム経由からでも行けますし、台湾あるいは韓国経由から行くこともできます。これらのうち、グアム経由で行くのが一番便利ですが、帰りは深夜に現地を出発することになりますし、グアム空港での乗換時間が短いのでご注意ください。

あるいは、旅行中にこの本を手にしている皆さん、疑問が生じた場合はぜひ現地の方に尋ねてください。本書よりも詳しい情報が得られるかもしれません。そして、行って戻ってきた方々はぜひこの本を片手に、その余韻を思い起こすのにご活用ください。鮮やかな海や空の青さの記憶がまた甦るはずです。

本書の刊行を契機に、パラオ・ボーダーツーリズムの企画も進行中です。その進行状況は、ＮＰＯ法人国境地域研究センターやボーダーツーリズム推進協議会のウェブサイトでご確認ください。あるいは、ロックアイランドツアーカンパニーやベラウツアーといった現地ツアー会社を活用しながらご自身でツーリズム商品を企画してもよいかもしれません。

ところで、二〇二〇年一月一日より、サンゴ礁に有害な物質を含む、日焼け止めの販売・持ち込み・輸入が全面禁止となっています。これに伴い、持参した日焼け止めが入国時に没収される可能性がありますので、ご注意ください。なお、使用可能な日焼け止めはパラオ国内でも購入できます。また、微生物による分解やたい肥化できないビニール袋の利用も二〇一九年一一月より使用禁止になっていることにも用心してください。

パラオは環境保護を重視しています。そのことは、入国時にパスポートに押される「パラオ誓約（Palau Pledge）」に署名を求められることからも伺えます。訪問の理由を問わず、皆さんも市民外交官（Civil Diplomat）として自覚をもって入国されることを期待します。

二〇一九年に「日・パラオ外交関係樹立二五周年」を迎えました。本書の刊行は二〇二〇年ですので、二五周年記念事業の名称もロゴマークも使用できませんが、二六年目の事業として日本とパラオの友好関係の深化に向けて何らかの貢献になれば望外の喜びです。

（古川浩司）

西太平洋戦没者の碑（ペリリュー島）の前から
アンガウル島を望む

参考文献

＊書籍・ウエブサイト

南洋群島パラオ南洋庁内　南洋協会南洋群島支部「日本の南洋群島」昭和一〇年発行
南洋庁「南洋群島島民旧慣調査報告書」昭和一四年発行
青柳真智子『モデクゲイ――ミクロネシア・パラオの新宗教――』新泉社、一九八五年
須藤健一『母系社会の構造―サンゴ礁の島々の民族誌―』紀伊國屋書店、一九八九年
印東道子編『ミクロネシアを知るための58章』明石書店、二〇〇五年
松島泰勝『ミクロネシア―小さな島々の自立への挑戦―』早稲田大学出版部、二〇〇七年
印東道子編著『ミクロネシアを知るための60章【第2版】』明石書店、二〇一五年
前門晃・藤田陽子・廣瀬孝・梅村哲夫編『太平洋の島々に学ぶ―ミクロネシアの環境・資源・開発』彩流社、二〇一一年
鈴木順一・香山侑美『パラオの面白い話』文芸社、二〇一八年
石森大知・丹羽典生編著『太平洋諸島の歴史を知るための60章』明石書店、二〇一九年
地球の歩き方編集室編『地球の歩き方 リゾートスタイル パラオ 2019~2020』ダイヤモンド・ビッグ社、二〇一九年
Murray, Stephen C., *The Battle over Peleliu: Islander, Japanese, and American memories of war*. Tuscaloosa: University of Alabama Press, 2016

在パラオ日本国大使館　https://www.palau.emb-japan.go.jp/itprtop_ja/index.html
NPO法人国境地域研究センター　http://borderlands.or.jp/
ボーダーツーリズム推進協議会　https://www.border-tourism.com/
ロックアイランドツアーカンパニー　https://palauritc.com/
ベラウツアー　http://www.belautour.com/

※ボーダースタディーズについては次の文献を参考にして下さい。
現代地政学事典編集委員会編『現代地政学事典』丸善出版、二〇二〇年
岩下明裕『入門 国境学―主権、領土、イデオロギー』中公新書、二〇一六年
A・ディーナー、J・ヘーガン（川久保文紀訳）『境界から世界を見る―ボーダースタディーズ入門』岩波書店、二〇一五年

＊写真提供

特に注記のないものは筆者提供による

※本書は、平成三〇年度琉球大学島嶼地域科学研究所公募型共同研究「アジア太平洋島嶼国・地域のボーダーに関する比較研究：沖縄の離島と南洋諸島を中心に」の研究成果に依拠している。また本書における研究の一部は日本学術振興会科学研究費 JP16K17071, JP17H02491 の成果でもある。

執筆者一覧

古川浩司　：中京大学法学部 教授
　　　　　　専門は日本の境界地域研究

ルルケド薫：パラオ在住フリーランスライター

エドワード・ボイル：九州大学大学院法学研究院 助教
　　　　　　専門は境界研究（日本・インドの北東地域など）

檀上弘文　：亜細亜大学法学部 教授
　　　　　　専門は刑事法（国境・領海警備論など）

山上博信　：名古屋こども専門学校 講師
　　　　　　専門は刑事訴訟法

岩下明裕　：北海道大学スラブ・ユーラシア研究センター 教授
　　　　　　専門はボーダースタディーズ（境界研究・国境学）

ブックレット・ボーダーズ　No.7

知っておきたいパラオ――ボーダーランズの記憶を求めて

2020年8月10日　第1刷発行

編著者　古川浩司・ルルケド薫
発行者　木村崇

発行所　特定非営利活動法人 国境地域研究センター
〒460-0013　名古屋市中区上前津2丁目3番2号　第一木村ビル302号
tel 050-3736-6929　fax 052-308-6929
http://borderlands.or.jp/　info@borderlands.or.jp

発売所　北海道大学出版会
〒060-0809　札幌市北区北9条西8丁目北大構内
tel. 011-747-2308　fax. 011-736-8605
http://www.hup.gr.jp/

装丁・DTP編集　ささやめぐみ
印刷　㈱アイワード

ISBN978-4-8329-6863-9